黒字で増収増益するための社長のルール

President's Rules for Increasing Revenue and Profit

KEIEI TARO
経営太郎

現役「経営者」「投資家」「コンサルタント」の
3つの視点で見る、儲かる会社のつくり方

President's Rules

SE
SHOEISHA

はじめに

日本人はなんとなく生きている人が多いです。

「良い大学に入って良い会社に就職すれば幸せになれる」という価値観を小さい頃から信じ込まされ、それを疑いさえしない人が多いのも日本人の特徴の一つです。

そして世間の言葉を信じ、ほとんどの人は「会社員」となります。

眠い目をこすりながら毎日満員電車にゆられて出社し、上司や取引先に頭を下げながら、朝から晩まで働いているのに、給料は上がらず貯金もなかなか貯まりません。

お金が原因で子どもが大学にいけない家庭もあります。お金がないことで子どもにまで迷惑がかかることもあるのです。

一生懸命働き、すごく疲れているから休みたいと思っても休むと給料は下がります。

決まった仕事を一生懸命やっても、毎月決まった給料しかもらえません。

宝くじに当たらない限りお金が一気に増えることなどもありません。

そんな悩みを抱えながらも働いて、いつの間にか時間が過ぎ年をとっている……。

そんな人が本当に多いのが、現代の日本という国です。

では、この現状を打破するにはどうしたらよいのでしょうか？

起業して社長にチャレンジすればよいのでしょうか？


そもそも実際の「社長」はどのような生活をしているのでしょう。

社長になれば自由な時間もあり、贅沢もできると思われがちですが、実はそうではありません。


国税庁が公表したデータによると日本の65％以上の会社は赤字で、資金繰りに苦しんでいます。


社長は毎月の社員の給与を支払うために一生懸命働いています。

そもそも社長は社員のように一生懸命働けば給与が出るシステムではありません。

お金を稼がなければ自分にも社員にも給与は出せず、会社は倒産してしまうのです。

倒産してゼロになるならまだいいほうです。

銀行融資などの借り入れがあると、連帯保証に社長個人で入っていることも多く、最悪自己破産になる可能性もあります。

月末に毎月の給与を支払い、取引先の支払いも終えてようやく一息ついたと思ったら、来月末にはまた支払いに追われる。ずっとこの繰り返しです。

会社員も社長も全く楽ではないのです。

では、なぜこうなってしまうのでしょうか？

それは、**自分の人生を他人の言葉を鵜呑みにして無計画に過ごしているからです。**

「無計画を受け入れる」ことは会社でいえば倒産を計画していることと同じです。

日本の会社の65％が赤字なのは、その場しのぎの考えを計画としてとらえた戦略しか持っていないからです。

黒字化して会社を成長させている社長は、きちんとした計画と戦略を持っています。

1日1日一生懸命に過ごすのはとても大事ですが、きちんとした計画がありその計画に向かって努力していないならその場しのぎの「無駄な努力」となってしまいます。

では、どうすれば計画や戦略を考えられるのでしょうか。

それは、自分に投資するほかありません。

僕のまわりの成功している経営者は学ぶために様々な投資をしています。

自分のスキルになるものに投資をして学ぶ、これが生活を豊かにするために一番重要なことです。

学んでスキルを身につけることは会社員でも社長でも絶対に必要ですし、学ばない人は現状を変えることも、成長して成功することもありません。

僕こと「経営太郎」は、元々経営者として学生時代から起業して会社を数十億円規模まで成長させ、数十億円で売却をし、それを4回実践しています。

その経験からコンサルタントとして年商数千万円のベンチャー企業から年商数千億円の上場企業までを手掛けており、売上をどのようにつくるのかを設計し、企業ごとにどのような戦略が良いのかの戦略構築からエグジットまでを請け負っています。

また投資家としても、金融庁に適格機関投資家として登録されているプロ投資家でもあります（もちろん、本名で登録されていますが、本業に差し障りがあるといけないので、本書では「経営太郎」というペンネームで執筆することにしました）。

適格機関投資家に登録されるには、金融資産を最低10億円以上現在も運用している実績が必要で、個人では170人程度しか登録されていません。

僕の投資している会社は大手企業からも出資を受けている会社も多く、その大手企業と出資先のアライアンスのお手伝いなどもしています。

本書は、**僕が実際に経営して数億から数十億までに会社を成長させた戦略や、僕のクライアントや顧問先が実践して結果を出してきた戦略に実例を入れながらわかりやすく解説しています。**

やみくもに努力するのではなく、まずは会社を成長させる戦略を理解し、自分なりの計画を立てるのに役立てていただければ嬉しいです。

きちんと学び、自分のスキルとして使いこなせれば間違いなく会社は黒字化し、成長し続けるはずです。

それは僕や僕のクライアントが証明しています。

本書がきっかけとなり、あなたの会社はもちろん、日本の多くの会社が黒字化し、より強く住みやすい国になることを期待しています。

目次

はじめに――3

第1章 黒字化する社長のルール

そもそも社長の仕事は何か？――14
情熱だけでビジネスをするな――27
自己責任の重要性――33
「人を見る目」の磨き方――38
アイデア出しと戦略構築の条件とは？――43
自分への投資は必要不可欠――47
「大企業経営」と「大家族経営」のどちらが適しているか？――53
社長に「消費期限」はあるのか？――58

第2章 資金調達のルール

知っておくべき銀行融資の基本——66
「資金調達」ではどのくらい調達すべきなのか？——74
銀行融資以外の調達方法——79
金融機関の金利状況を把握しよう——87
投資家から出資を受けるには？——90
出資を受けるメリットとデメリット——99
最新のクラウドファンディングの状況——104

第3章 マネジメントと人材活用のルール

なぜ人材が集まらないのか？——110
中途人材の境遇と心理をつかむ——117
売上を伸ばす「スーパー人材」の採用——123

社員評価の低い部下をどう扱うか——128
社員の時間効率を向上させるには？——134
オンライン勤務とオフライン勤務ではどちらが売上が上がるのか？——137
社員モチベーションと市場マーケットの相関関係——141
「伸びる企業」の人事制度——147

第4章 メディア戦略のルール

「メディア戦略」はなぜ必要なのか？——152
「プレスリリース」の基礎知識——160
成果を上げるプレスリリースとは？——169
「ブランディング」の重要性——179
テレビとSNSの正しい活用法——188
広告とブランディングの違いとは？——195
予算別メディア戦略——198

第5章

アライアンスのルール

「アライアンス」とは何か？――204
大企業とアライアンスを組むための条件――208
「営業代行会社」と組むメリット――211
成功するアライアンスの組み方――214
アライアンスとM＆Aの関係性とは？――223

第6章

「継続して黒字化する」ために注意すること

キャッシュフローとコスト管理の徹底が最重要――228
「ストック収入」で売上を安定させる――234
顧客満足度を上げてファンをつくるには？――239
新規顧客発掘と既存顧客フォローの最適なバランス――244
黒字化と「税金」の関係性――248

黒字化と「社長の健康」の関係性――254
おわりに――258
読者の皆様へ――261

ブックデザイン：菊池祐
DTP：有限会社エヴリ・シンク

第1章

黒字化する社長のルール

会社を黒字化して増収増益している社長はどんな経営をしているのでしょうか？

赤字会社の社長は「扱っている商材がいいんだろ」とか「社員が優秀なんだろ」と思っている方もいますが、実はそれだけではありません。

一番重要なのは社長そのものです。

社長の考えや決断によって会社がどうなるかが決まります。

この章では、一番重要な「社長のルール」について学んでいきましょう。

そもそも社長の仕事は何か？

経営者の方に「社長の仕事は何ですか？」と尋ねると様々な答えが返ってきます。

「社長は経営計画を作成し実行するのが仕事だ」
「経営計画は役員と共に考え、それを判断するのが仕事だ」
「社長は資金調達に奮闘してお金をつくるのが仕事だ」
「資金調達はＣＦＯの仕事で、社長は資金をどう使うかを決めるのが仕事だ」
「社長自ら営業し売上をつくるのが社長の仕事だ」
「売上をつくる仕組みをつくり、その仕組みで営業が売上をつくれるように設計するのが社長の仕事だ」
「人〝財〟を見極め、人を育てるのが社長の仕事だ」
「ともかく多くの人を採用するのが社長の仕事だ」

など、全く逆の回答が出てくることもあります。

いったいどれが正解なのでしょうか？


結論からいうと、どの答えも間違ってはいません。

会社の状況によって社長がやるべき役割が変わるからです。

むしろ、それぞれの答えによってその会社のステージがわかります。

どういうことかというと、会社の「今のステージ」によって社長が重要視すべき仕事が明確になり、それはどの分野の会社でもほぼ変わらないからです。

会社がスタートアップの場合、まだ売上もなく社長が背中で語らなければ誰もついてこない状況です。そんな状況では、社員教育をし、営業を仕組み化する余裕もありません。

社長自らが営業をし、売上をつくり、さらに銀行を回って融資の相談も同時並行で進めていきます。

僕もスタートアップを創業した際には、365日毎日働いていましたし、繁忙期には二徹、三徹は当たり前でした。

社員も僕が必死に働いているのを目の当たりにしているので、休むことなくついてきてくれました（人に恵まれていたと感謝しています）。

繁忙期には、夜中に息抜きで、みんなで居酒屋に90分だけ行くといったことがよくありました。道でもらった「生ビール1杯無料＋焼き鳥1本サービス」のサービス券を握りしめて、会計を3人で1500円以内に抑え、その後また仕事をし、事務所で段ボールを敷いて仮眠をするという「ど・ベンチャー」な生活が当たり前になっていました。

この状況を打破するには自分で売上をいち早くつくるしかなく、脇目も振らず働きまくるのが社長の役割となります。

採用など人事に関してもスタートアップの場合はすべて社長が穴埋めをしていきます。

僕の先輩で、今では上場し大企業になっている会社の社長も最初は1Kのマンションの一室で起業したのですが、なかなか営業職を採用できずに困っていました。

1Kのマンションがオフィスの会社に好きこのんで就職したい人はなかなかいません。

仕方なく先輩はそのマンションに営業にきた方を逆に会社の営業として勧誘してなんとか営業担当者を増やしていました。

１Ｋのマンションというだけではなく、そもそもスタートアップが求人募集をしても、まともな人は応募してきません。

しかし、そんなことをいっていても状況を打破できませんから、とにかく社長が知恵を絞って勧誘してくるしかないのです。

これがスタートアップの社長の仕事の仕方です。

売上2億円以上の社長の仕事

一方で、スタートアップから脱却し、売上が2億円以上になると社長の仕事も変化していきます。

社長はまだまだプレイヤーなのですが、右腕となる幹部候補も育ってきて売上もつくれるようになります。

このステージでは、社長は社員をどう働かせるかのマネジメントを考えるようになり、さらに会社の営業を仕組み化して「売上をどうつくるか」に取り組むようになります。

人事についても、求人サイトなどで採用できる規模になりつつあるため、しっかりとした採用計画も立てられるようになります。

銀行との交渉も採用した経理と二人三脚で進めていき、少しずつ自分一人ですべてを行うステージから脱却していきます。


このように、社長の仕事とはステージによって変化していくのです。

ちなみに売上が2億円未満の場合は、社長がガムシャラに働くステージなので、余計なことを考えず売上を伸ばすことをおすすめします。会社にかける投資はどんどんするべきですが、自分への関係ない投資（遊び？）で会社を傾かせる年商1億円前後の会社は散々見てきましたので、どうぞお気をつけください。

売上10億円以上の社長の仕事

業種にもよりますが、売上2億〜10億円未満の会社はそれほど社長の仕事の内容は変わりません。

社長はやはりプレイヤーとして頑張っていますが、社内に育ってきた右腕や左腕も売上をつくれるようになっている段階です。

このあたりで戦略を変えずに進んでいくと、売上3億か5億くらいで「売上の壁」ができて成長が止まることがよくあります。

どのような戦略を実施すれば良いかは本書を読んで学んでほしいのですが、ヒントとしては、**安定して10億円以上の売上のある会社は「売上をつくるための仕組み化」をしています。**

仕組み化することで社長の仕事はプレイヤーから「監督」になります。

監督として、きちんと仕事を管理することがメインとなるため時間に余裕ができるようになります。

社長があまり会社にいないのに会社が成長しているパターンはまさにこのパターンです。

普遍的な社長の仕事とは？

社長の仕事内容はステージによって変化することは理解できたかと思います。

経営計画の作成をはじめ、資金調達、人員計画や新規ビジネスの開拓など様々な仕事は社長自ら行う場合もありますし、社長と役員を中心に実施する場合もあります。

では、社長だけができる普遍的な仕事とは何でしょうか？

それは、**会社を永続させるための方針を考えて決断すること**です。

社長は常に会社の将来的な姿を想像し、理想を実現するための活動をする必要があるのです。

そのための具体的な社長の仕事が3つあります。

1つ目は**人材をどう使うのかを決断すること**です。

前述しましたが、ベンチャー企業には優れた人材が最初から集まることはめったにありません。

今いる人材の中で、誰をどこに配置するのか、「適材適所」の人材配置を行うことが社長の重要な仕事の一つとなります。

僕が経営をしていた会社で、役員の評価が低い社員がいました。

彼女は課長レイヤーでしたが、部下のマネジメントが苦手のようで部下からも多くの不満の声が上がっていました。

さらに、会社で共有している情報をきちんと把握できず指示や行動もズレていることが多く、役員が大事になる前にフォローすることもあり、「彼女は会社に必要ないのでは？」という疑問を持たれているような状況でした。

役員会で、彼女の処遇の話が出た際には彼女のマイナス面ばかり取り上げられていましたが、僕だけは、彼女にも優れた部分があるのではないかと様々な角度から必死に考えてみたのです。

この時点では、できない人材を切り捨て、優秀な人材を確保できるような会社にはまだ育っていないのがわかっていたからです。

役員レベルでもベンチャー企業の実態が、今いる人材で戦わざるを得ないということを完全に理解できている人はほとんどいません。

この部分は社長だけが言い訳できず会社の成長に責任を持っているからこそある感覚なのでしょう。

結局、広報部を新しく設立し、彼女をその責任者に抜擢しました。

彼女は、物事を深く考えずに浅い知識だけで対応する悪い癖がありますが、外部との軽いコミュニケーションは得意な方でした。また、マニュアルがあればその通りに対応でき、その場しのぎであればイレギュラーの対応もできます。

法人営業であれば安易に相手に「できます」と答えてしまうのはトラブルの元ですが、広報であれば自社にプラスになる内容を話すことがほとんどなので大丈夫であろうという判断でした。

結果、彼女は水を得た魚のように生き生きと働き出し、会社のＰＲもかなりの効果を上げることに成功しました。

このように社員間で評価が低い人材だとしても、適材適所に置くことができないかを必死で考えて判断できるのは社長しかいないと思います。

２つ目の仕事は、**会社のお金をどう使うのかを決断すること**です。

中小零細企業の場合、予算を前もって計画している会社はあまり多くない印象があります。大企業では、年間予算を決算後すぐに確定させて一年間のお金の使い方を決めますが、中小零細企業は、まだまだその場の判断で決まることも多いのではないでしょうか。

これは経営面でのメリットもあり、即断即決することで成長スピードが上がり、会社に勢いをつけることができます。

僕のクライアントの大企業だと、年間予算以外のイレギュラーな案件には、対応するのに半年以上かかってしまうこともよくあるので、この部分はベンチャー企業の強みです。

一方で、よく吟味せずにお金を使ってしまうことで、会社の資金繰りを圧迫してしまうというデメリットもあります。

特に、今まで考えもしなかった分野の提案がクライアントからきて、勢いでやってみようと決めてしまうパターンには注意が必要です。

僕もかつて失敗したパターンだと、きちんと考えずに「会社の安定した売上になるのでは」とゲーム事業にお金をかけたことがあります。

当時は携帯ゲームが全盛期の頃で、とんでもない利益を上げている会社も出てきたのですごく興味がありました。

僕が飛び込んだのはパソコンで10年以上運営されている人気ゲームを携帯のシステムに移植して携帯ゲームとして売り出していくという企画でした。

すでにパソコン版では固定ファンもいたため、携帯ゲームになってもその固定ファンが毎月課金してくれて月の安定収入になるだろうという目論見でした。

最初は予定通り固定ファンがついてきてくれて売上も順調だったのですが、パソコンから携帯にうまく移植できない部分が発生してしまい、そのバグを直すのにかなりの金額と時間がかかることが判明しました。

結局、そのゲームはリリースして1年で終了となってしまい、その事業も赤字になってしまいました。

会社のお金をどう使うかの決断と責任はすべて社長にあります。

その決断一つで会社がどうなるかが決まりますので、本当に重要な社長の仕事と言えるでしょう。

最後の社長の仕事は、**経営者人脈をつくり、役立つビジネス情報を取得すること**です。

「経営者は孤独」とよく言われますが、それはある意味その通りで役員や社員には話せないことも社長には多くあります。

特に経営に関しての悩みは、話すことで社員を不安にさせ、社員が会社から離れてしまうリスクもありますので自分の中で処理していくしかありません。

多くの経営者はこのような状況に悩んでいますが、これを解決するには、経営者同士で交流し、お互いの悩みを解決するのがよいかと思います。

やはり、経営者の悩みは経営者にしかわからないこともありますし、経営者にしか話せないこともあります。

お互いの話を聞くうちに解決策が見えてくることも多いのです。

また、経営者のコミュニティをつくることにより、様々な分野の情報を手に入れることもできます。この情報をどう利用するかが重要です。

僕がコンサルティングに入ってビックリすることの一つが、クライアントの会社は自分の業種の情報はもちろんかなり深くまで調べているのですが、他の業種の情報はほとんど知らないということです。

僕は**世の中に今までにない革命的なアイデアなどほとんどない**と考えています。

革命的なアイデアとは、Aという業種の成功例とBという業種の成功例を足して応用したCという手法からうまれると思っています。

要するに多種多様な業界の成功例の情報を模倣していくことで、新たな戦略が出来上がるという考えで、実際に僕が起業して数十億までつくった会社はすべてこの考えからうまれました。

この意味でもいろいろな経営者との交流は社長にとって重要な仕事だと思っています。

ちなみに、僕は顧問として中小企業に入ることもあるのですが、経営者の中には率先して人を繋いでくれる顧問と同じような動きをされる方もいます。

これは、エンジェル投資家のグループで、自分が投資している会社だけではなく、友人の投資先のためにいろいろと動いてくれる投資家の動きと似ています。

そのような方に出会えると自分も成長できると思います。

黒字社長のルール1

社長の一番の仕事の根本は「会社を永続させる方針を考えて決断する」こと。そのために「人材」「資金」「人脈」を駆使して経営をする。

情熱だけでビジネスをするな

アメリカのコンサル会社が行ったある調査によると、**日本の社員の熱意度がかなり低い**というデータがあります。

組織でのエンゲージメント、つまりやる気あふれる社員の割合は、アメリカが32％に対して日本は約5％だそうです（図1参照）。

また、やる気のない社員の比率は約7割、やる気がないを通り越して無気力な社員は2割強とのことです。

このデータからわかるように、日本のほとんどの社員にとって仕事とは「生活するための手段」になってしまっています。

このような社員のやる気を底上げして真剣に仕事に取り組んでもらうためには、社長が情熱を持って仕事をしていくしかありません。

図1 「従業員エンゲージメント」の世界と日本の比較

「熱意ある社員」比率は2022年も日本が最低水準

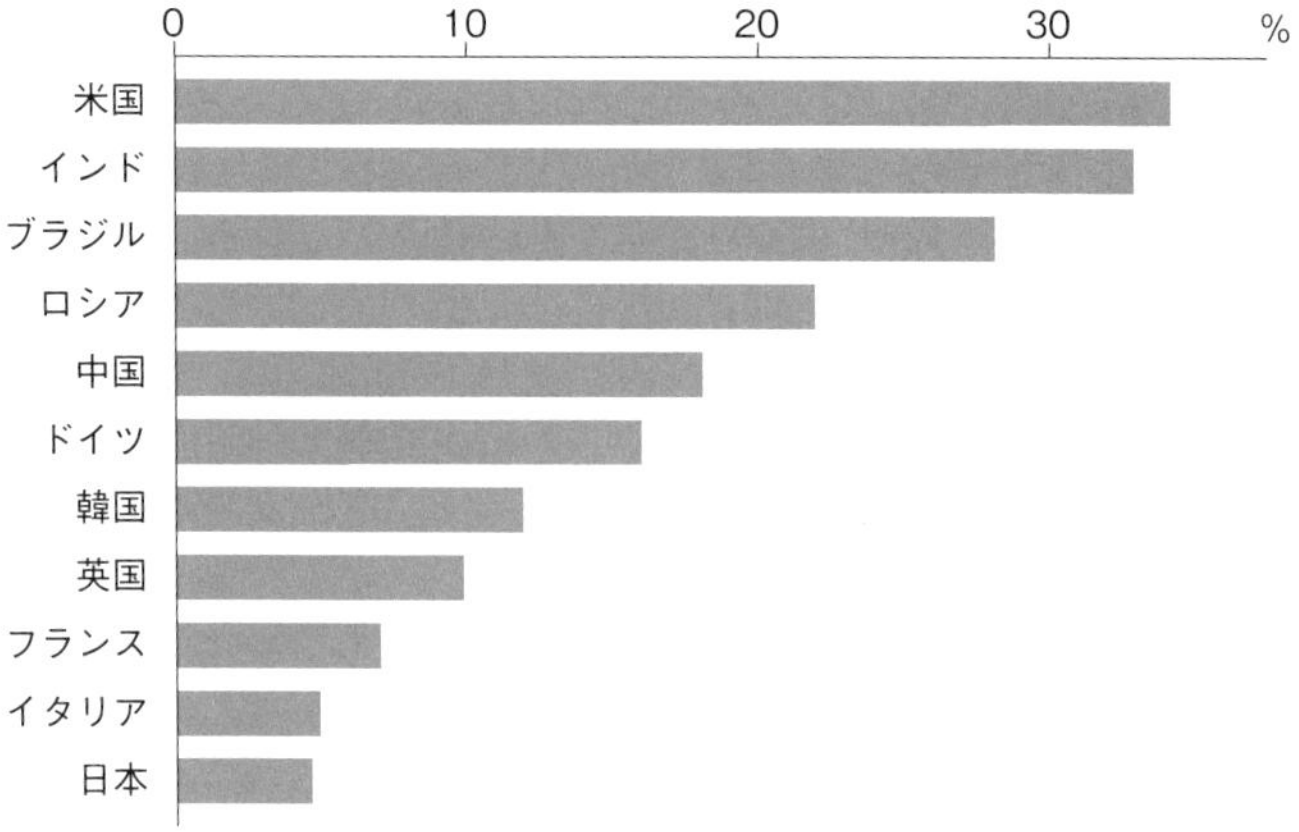

世界と日本の差は広がる

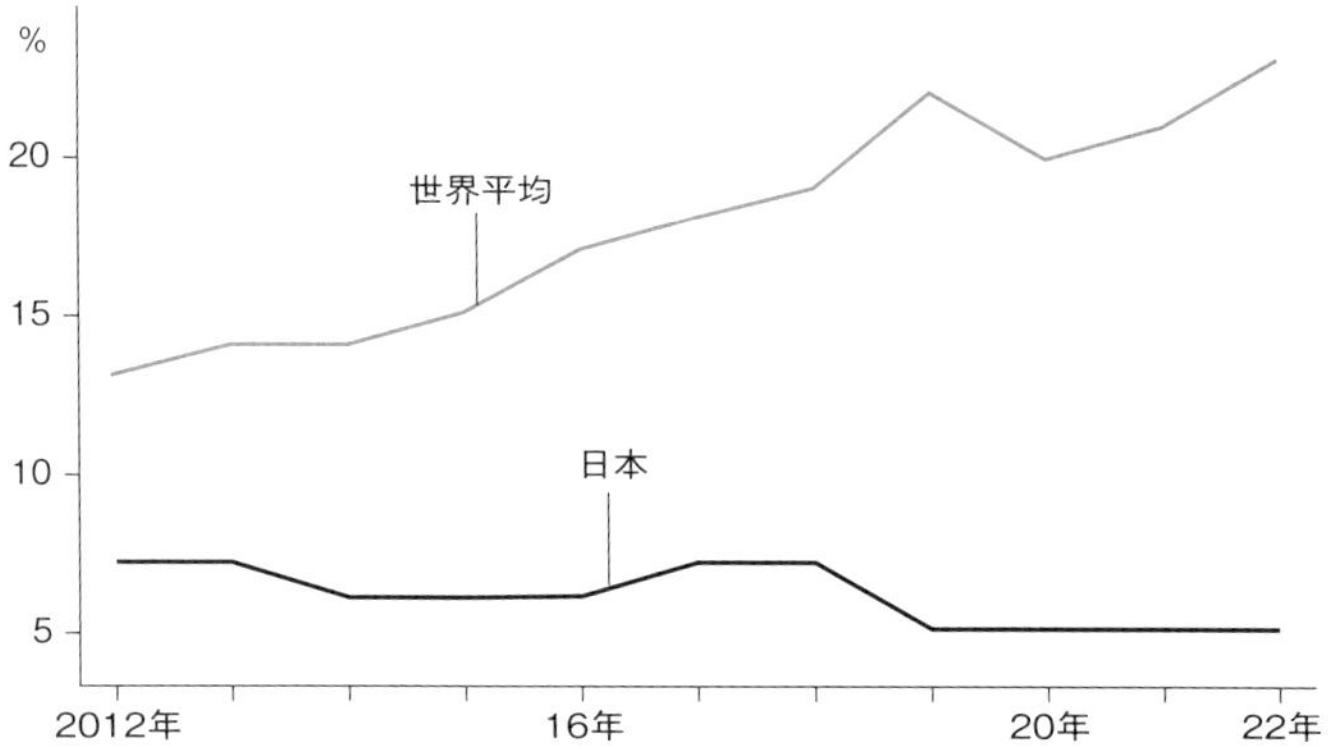

出典：ギャラップ社「グローバル職場環境調査」（2023年）

社長の熱が社員一人一人に伝わっていき、最終的に全員が情熱を持って仕事をする集団に変化するのが理想の形といえます。

しかし、**社長が情熱だけでビジネスをしてしまうと逆に会社にとってマイナスになることもあります。**

使命感のジレンマ

社長の中には自分が身を置く業界に使命感を持って働かれている方がいます。

特に上場してさらにどんどん会社を伸ばしている方はこのタイプがほとんどです。

僕は会社のバイアウトを数社経験していますが、上場した社長と比べると業界に対する使命感はあまりないのかもしれません。

使命感があり、業界に対して情熱がある方ほど上場できるのだと僕はまわりを見て実感していますし、上場しないにしても業界に使命感を持っている方は尊敬しています。

ただ、使命感があることにより、つまずいてしまう場合もあります。

僕の会社の近くに僕が通いつめていた居酒屋がありました。

そこは本日のおすすめで仕入れが大変そうな鮮魚やA5ランクの和牛などを揃え、またお酒も種類が豊富で僕にとってはは大変ありがたいお店でした。

また、坪数も80坪程度あり、都内一等地の居酒屋としては大きな面積の居酒屋でもありました。

味も雰囲気も良く、さらに値段もリーズナブルだったのですが、集客がうまくいっていないのか、いつ行っても座れるお店でもありました。

数カ月通ううちにさすがに心配になり、店長兼オーナーにどの料理も美味しいのでもっと値段をあげた方がいいのではと話してみたのですが、オーナーは恐縮しながらも首をたてにはふりませんでした。

オーナーは、「居酒屋は皆さんが気楽にきて楽しむところなので値上げは考えていません。皆さんの明日の活力になるのがこの店の使命です」と力強く答えてくれました。

オーナーの使命感は立派ですが、結局それから数カ月で閉店となってしまい、その店のファンだった僕は今でも残念に思っています。

情熱と利益

使命感で会社を運営するのは素晴らしいことですが、それは会社に利益が残るのが前提とした話です。

利益も出ず、使命感や情熱だけで働いていたら、お客様はよくてもまわりの従業員はたまったものではありません。

結局、会社がつぶれてしまったらお客様にとってもマイナスです。

社長が情熱を持ち使命感を持って働くためには、大前提として会社が儲かる仕組みがあるということが大切です。

先ほどの居酒屋の例でいうなら、まずは固定費である家賃を下げて15坪くらいから始めることで、浮いた家賃分で広告を強化するということを事業戦略として考えることができたでしょう。

たとえ使命感に燃えていたとしても、いきなり大きな勝負をする必要はなく、まずは小さなところで力を蓄えてから勝負する姿勢が大事です。

あらためて、会社経営で一番大事なことは利益を出してつぶさないことです。情熱や使命感はもちろん大事なのですが、本末転倒にならないようにしましょう。

黒字社長のルール 2

経営の基本中の基本「利益を出して会社をつぶさない」。社長の情熱だけで経営せずに常に「利益が出るか」を考える、冷静さを忘れない。

自己責任の重要性

社長という仕事は決断の連続です。

あらゆる課題が毎日押し寄せてきますから、それを一つ一つ処理して決断していく必要があります。

もちろん会社規模が大きくなるにつれて、さほど重要ではない判断を部下に任せることもあると思いますが、その部下に任せる決断をするのも社長なのです。

会社が成長しない社長の特徴として、失敗を他人の責任と考えてしまうという特徴があります。

例えば、銀行からの融資を受けられないのは、きちんとした決算書を作れない税理士のせいだという方もいます。

決算書とは、会社がどのような数字を積み重ねているのかを会計的に表したものですが、その数字の積み重ねは社長が最終的に決断したものが反映されています。

もちろん、税理士も能力が高い人や低い人もいるかと思いますが、そもそもその税理士を選んだのは社長なのですから、きちんと税理士と話をしない社長の責任なのは言うまでもありません。

ひどいケースだと社員のせいにしてしまう社長もいます。

2023年に問題となった中古車販売の会社では、社長は不正は報告書を受けとるまで知らなかったとし、一部門の単独行動であり経営陣は関与していないという趣旨の発言をして大炎上しました。

最終的には会社を身売りする結果となりそうとのことですが、これも社長は自己責任という鉄則を守らなかったからでしょう。

大企業だけではなく、中小企業でもこのような話はよくあります。

僕が出資していた化粧品会社で内容証明が届いたことがありました。

経緯としては、新しい化粧品開発を任されていた部長がネーミングまで担当していたのですが、そのネーミングは商標登録をされていたため、商標権侵害で内容証明が送られてきたのです。

損害としてかなりの額が要求されており、会社は大パニックとなっていました。

株主総会で最終的にどうなったのかを知ったのですが、役員会では社長は部長を叱責することもなく、任せた自分に責任があるとし、社長が社員に謝罪し、自ら先方に出向き話をまとめてきたそうです。

このような社長なら社員もついていきたくなりますよね。

社員が責任をとる？

会社の古株など、会社に長く従事している方が自分の失敗のせいで会社に損失を与えてしまったので責任をとって辞めた、という話を聞いたことがある方もいるのではないでしょうか。

しかし、このような場合でも、**部下のせいにせず社長自身が全責任をとるほうが会社は成長します。**

かつてあのユニクロが野菜事業に取り組んだことがありました。

担当者が陣頭指揮を執り奮闘しましたが、１年半で数十億の負債を抱えて撤退しました。

担当者は責任をとるために辞表を提出しましたが、社長から「一回失敗したくらいで何をいっている。この経験を次に活かせ」と叱咤激励されたそうです。

その後、担当者は別事業を担当し、「GU」ブランドを世に出すことに成功しました。

このように、いくら社員が責任を感じても、社長がくみ取り、さらに働けるように背中を押してあげる企業こそが成長していくのです。

ユニクロの例は素晴らしい話ですが、そもそもスタートアップや中小企業でそこまで忠誠心のある社員は多くありません。

僕はかつて一緒に働いていた部下に、責任を持って仕事をしようとたしなめたことがありました。

すると「それは『自責思考』といって精神的ストレスが増加する行為なので鬱《うつ》になりやすいと本で勉強しました。社長もそんな考えはやめたほうがよいです」と注意を受け、唖《あ》然《ぜん》としたことがあります。

この社員はかなり極端ではありますが、大なり小なり基本的に会社に忠誠心があり責任を持って働く方より、責任は自分にはないと考える方が多いものです。社長は自分で好きなように決定できる立場にあるので、すべての責任は自分にあると心に刻んだほうが無難なのかもしれません。

黒字化に成功している社長に共通していることは、景気のせい、社員の人間性のせいなど他人の責任とせずに、売上が落ちたのは自分のフォローや指導が足りないから、社員が辞めるのも自分の育成方法が悪いからと、**すべての原因は自分にあるとしてどう解決するかを自分で考えられるかどうかなのです。**

黒字社長のルール③

会社の出来事の責任はすべて社長にある。
黒字を出す社長に「他責思考」は必要ない！

「人を見る目」の磨き方

「強い会社」をつくるには社長一人では難しいです。

少なくとも社員を数人採用する必要があります。

前述したようにスタートアップでは優秀な人材がくることは稀ですが、まだ原石である人材を見つけることは可能です。

では、原石をどう見つければよいのでしょうか？

実は「良い人材の見つけ方」は「良い投資先の見つけ方」に似ています。

例えば、僕が最近出資をした真贋鑑定の会社があります。

その会社は元々、CtoC のプラットフォームを運用する会社の補佐として、出品された商品が本物かどうかをＡＩで鑑定するサービスを提供していました。

当時は主にスニーカーを専門としていましたが、今ではハイブランド商品の真贋鑑定も提供しており、多くのお店やプラットフォームとも提携しています。

この会社の社長はまだ20代で、若くて優秀な方です。

そんな彼に投資をすることを決めたのは、「謙虚さと素直さ」があったからです。

20代で会社も軌道に乗ってくれれば、誰でも調子に乗るのが普通です。

しかし、彼の場合はミーティングで僕が様々な質問をしても真摯に対応します。

時には耳の痛い質問や辛辣な意見もあったかと思うのですが、どの意見も素直を受け止めてきちんと改善してきます。

「まだ若いのに」という言葉はもう古いと思わされるくらい人間ができているなと感じ、出資させていただきました。

採用時に原石を見つけるにはまさにこの「謙虚さと素直さ」がポイントになります。

仕事内容はその人の能力を見て、適材適所に置くのは社長の仕事ですからいいとして、人間性だけはきちんと見る必要があります。

ここが強い会社にするための求人の秘訣です。

人間性を見極めるには？

求人では大抵数回の面談をして採用かどうかが決まりますが、数回で人間性を見極めるのは難しいものです。

そこで、採用がうまくいっている会社は「試用期間」を上手に利用しています。

試用期間とは、採用した人物が会社にとって能力が足りているかどうかを見極める期間となっており、その期間中であれば、採用した側が期待していた能力に足りないのであれば、お互いに話し合いで円満に辞めてもらうことも可能です。

採用に強い会社は、この試用期間中に「人間性を確かめる仕掛け」をいくつか用意しています。

まずは挨拶から始まり、勤務態度の確認、報連相の確認といったビジネスの基本を見るのは当然として、特に「時間」は最重要項目として厳しくチェックしていきます。

僕はビジネスパーソンとして時間にルーズなのは致命的という考え方です。

また、「資料の数字」に関しても同様に厳しいチェックを入れています。

数字に弱いと取引先の信用を一瞬で失いますので、数字に関しては何度も確認し真摯に対応できることが求められています。

最後は、「社内飲み会」です。

この令和の時代に飲み会とは時代錯誤な気もしますが、そこは社内文化でもありますので選択肢の一つではあります。

僕のまわりの経営者では飲めない人はほぼいませんが、たまに一滴も飲めない方も飲み会に参加されることがあります。そういう方のほうが場の雰囲気をより盛り上げようとする傾向があります。

人間はお酒を飲めば本性が出るといわれていますが、飲まなくともその場をどう対応するかで本質がわかるのかもしれません。

このような手法で見事に試用期間を乗り越えた社員は1年後には素晴らしい活躍をしてくれることが多いのです。

最初から原石を見つけるのは難しいと思いますが、成功例を模倣して見る目を磨くのは大切なことです。

ちなみに僕は飲むことは嫌いではないので、若い時はメンターとして頼っている先輩方に呼ばれるとすぐに飲みに行っていました。

その時はもちろん楽しんではいますが、先輩方の前で礼節をわきまえることだけはどんなに酔っていてもきちんとしていたつもりです。

メンターにコンサルティングを頼んだら月に数百万はすると思いますが、可愛がっていただいたこともあり顧問費用程度でいろいろな相談に乗っていただき、仕事でもかなりの利益を出すことができました。

人事採用だけではなく、尊敬できる経営者に自分のメンターになってもらう場合にもお酒の場は有効だと思っています。

黒字社長のルール 4

小さな会社は社員の質が経営に直結する。「謙虚さと素直さ」を持つ社員かを確かめる仕掛けを用意せよ。

アイデア出しと戦略構築の条件とは？

スタートアップのうちは、社長がアイデアを出し、戦略を立て、自ら実行していく必要があります。

そしてある程度売上ができ社員を抱えるようになると、次は社長と社員で意見を出しながら戦略を立てていくのが理想です。

多くの社長はこのように考えているのですが、実際は社員に意見やアイデアを求めてもほとんど何も出てこず、現状を嘆いている社長が多いのです。

僕が見てきた多くの会社で実は、社員が率先してアイデアを出し、意見が飛び交う会社ほど黒字化しているのですが、このような会社は何をしているのでしょうか？

アイデアは「気軽さ」が重要

アイデアが飛び交う会社と何も出ない会社の違いは、社長の態度がまず異なります。**社員からアイデアが出ない会社は、社長がそのアイデアに対してわかりやすく称賛していない**からです。

おそらくたいしたアイデアでもない場合は「もっと真剣に考えろ」という表情をしているのではないでしょうか。

それでは社員は萎縮してしまい、意見が頻繁に出てくるわけがありません。

アイデアが頻繁に出る会社は社長の雰囲気づくりがうまい会社です。

営業と同じで、まずは社長が率先してアイスブレイクをします。場を和ませてどんな意見やアイデアでもいいんだと社員に認識させる必要があります。

そして、最初に出たアイデアはどんなにひどい内容だとしても褒め称えます。「アイデアが出る→とりあえず褒める」で1セット完了となります。

会社がより大きくなると、社長ではなく場を和ます社員を決め、その社員に同じように雰囲気をつくらせるようにします。

これは、大企業や上場間近な会社だろうと勢いがある会社の多くが取り入れています。

戦略は「悲観的」が基本

「アイデア出し」はある意味気楽に様々な意見を出すことこそが重要ですが、事業戦略はそうはいきません。

事業戦略まで気楽にバラ色な計画を立ててしまうと、実際にはそのような計画ではうまく進まずに会社に大きな損害を与えてしまう可能性があるからです。

これはM＆Aの世界でもよく起こります。

売り手側の会社を慎重に吟味せずに、バラ色な事業戦略を立てたシナジー効果を見込み、勢いでM＆Aをして結果的に失敗してしまうパターンです。

ある調査会社の報告では、日本経済団体連合会（経団連）に属している会社ですら、「M＆Aに7割が失敗した」と回答していますから、やはり慎重に慎重を重ねる必要があるのです。

会社の戦略構築も同様で、楽観的に考えるのではなく、自分が立てた戦略を疑いながら、仮に失敗したとしてもリカバリーできる戦略を立て、それが失敗したとしてもさらにリカバリーして利益が出る計画を練ることが重要です。

オリンピックで金メダルを獲得した柔道選手も、自分を常に疑いながら稽古に励んだと語っています。

戦略は悲観的に考え、最低でも2回失敗してもリカバリーできてさらに利益も出るような計画を考えてみましょう。

黒字社長のルール 5

アイデアは「称賛」、戦略は「悲観」が基本。「褒める」と「締める」を上手に使い分けてこそ自社の社員が育っていく。

自分への投資は必要不可欠

アメリカでは生涯教育が当たり前となっています。

何歳になっても学び続ける文化があり、地域にあるコミュニティカレッジでは納税者は無償で授業を受けることができます。まさに、「学びたい時に学びたいことを学ぶ」という理念が実現された国です。最近ではインターネットを使って様々な分野を遠隔で学べるようにもなっています。

一方、日本では大学や大学院を卒業した後に率先して学んでいる人は多くはありません。社員だけではなく、社長ですら仕事に関する狭い知識だけしか勉強していないのです。

この現状は、社長にとってチャンスでもあります。

つまり、**日本では社長が常に様々なことを学び、知識をつけることでまわりに圧倒的な差をつけることができるからです。**

図2　従業員数50人以下の創業10年以上の地方中小企業の経営者へのアンケート結果

あなたは毎月の自社の将来に対する経営に関する勉強（事業計画の作成や経営理念の策定など）をしていますか。

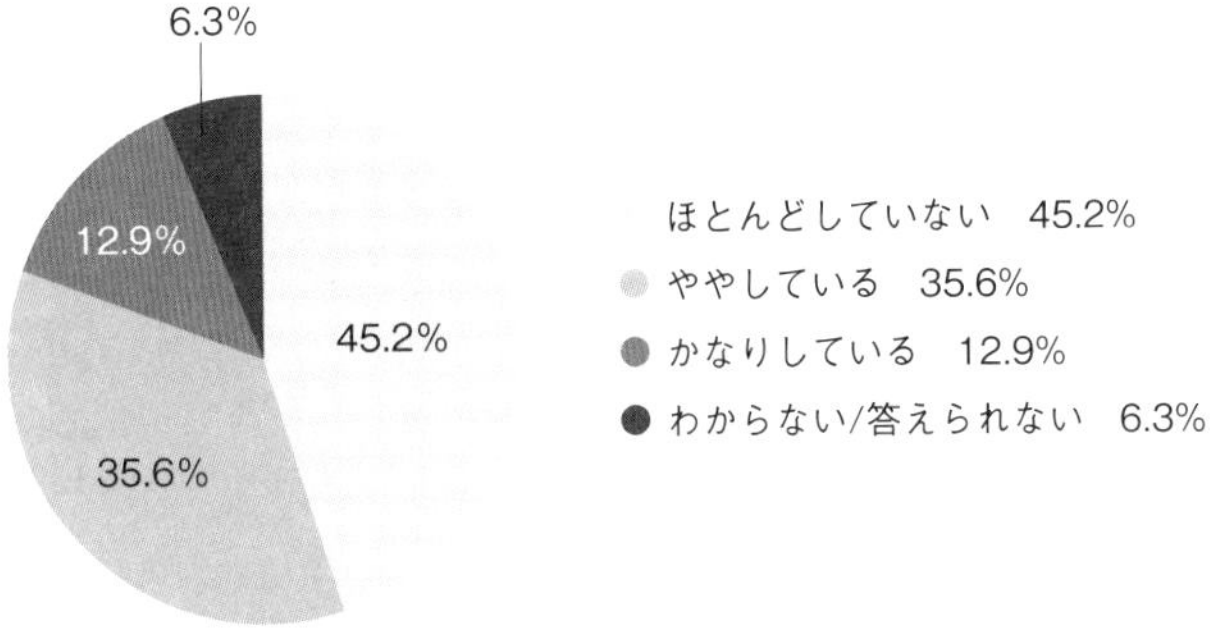

経営者のための経営研修/経営の個別相談/コミュニティが形成される、経営者交流会への参加に興味はありますか。

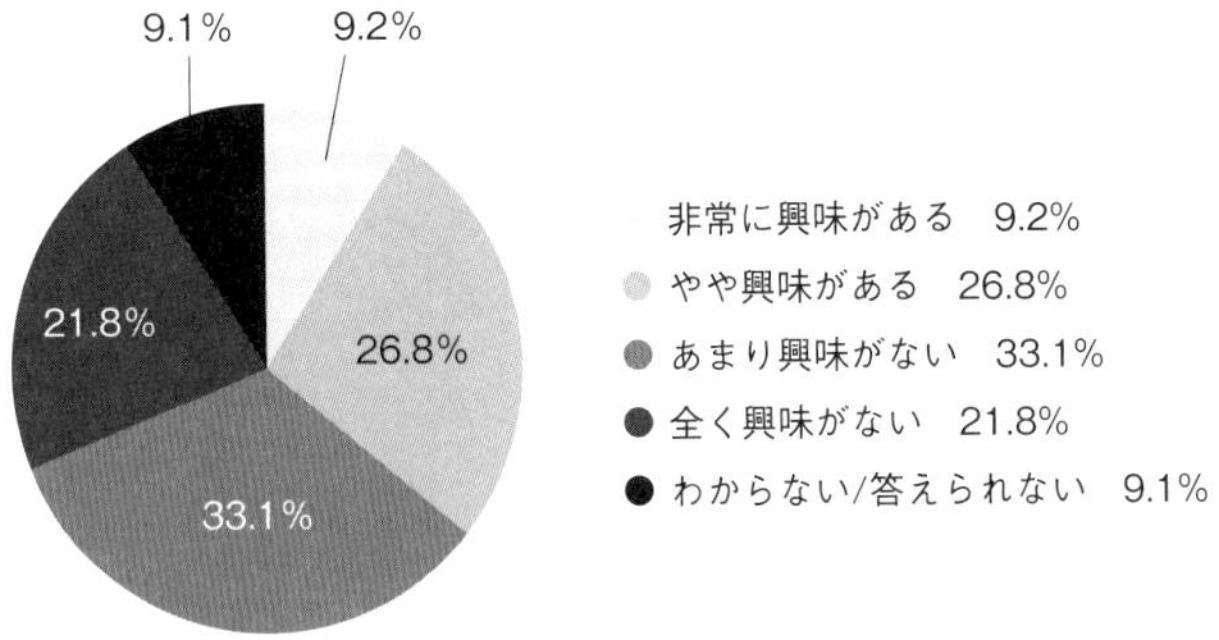

出典：株式会社未来塾「地方経営者の勉強時間に関する実態調査」

例えば、ソフトバンクグループの孫正義さんは大学時代に1日18時間勉強したと語っていますが、今でも様々な分野を学び、その学びを形にして大成功をおさめています。今も「AIを勉強していない経営者は淘汰される」とも語っており、自らが最新のものをいち早く使えるように勉強し続けています。

僕の友人の経営者たちも、成功し続けている人ほど勉強しています。

上場企業を運営しながら、様々な知識を得るために人に会って生きた知識を吸収したり、学び直しのために大学院に通いMBAを取得したり、弁護士なのに医学部に入り医師免許をとったりされています。

このように、普通の経営者ではやらない勉強をやり続けることさえすれば、成功しやすくなるのが日本の現状なのです。

どう勉強すべきか？

読者のあなたも、本から知識を得ようとした立派な経営者、または未来の経営者かと思いますので、より様々な勉強に興味があるかと思います。

単純な知識という意味では、本やインターネットを利用した動画での勉強も有意義です。中には情報商材といわれている悪質な商材もありますが、単純に動画販売だけであれば価値のあるものも多いです。

ただ成功者が口を揃えて言うことは、直接その分野で権威のある方とのやり取りが一番勉強になると言います。

僕もこの意見には賛成です。やはり、本や動画は世の中に出るまでにタイムラグがあり、基本は学べますが最新の情報は学びにくいデメリットがあります。直接権威のある方に教わったほうが、すぐ実践できる戦略を学びやすいのは間違いありません。

セミナーを活用する

エキスポや銀行や証券会社主催のセミナーでは、各分野の権威の方がスピーカーとして登壇されることが多く、現状を学ぶのには非常に有効です。
また、最近ではZoomなどのオンラインでのセミナーが主流になっており、全国どこにいても学ぶことができますので、勉強したい人には最適な環境になっています。

僕も新型コロナウイルス感染症拡大以降に講演を頼まれることも多く、年に何回かセミナーをしていますが、そこでの話は最新の事例を入れて解説することが多いです。

普遍的な戦略も当然あるのですが、時代が変わる度にやるべき戦略も変化していきます。セミナーでは今まさに実践すべき内容を話すことができるので効果も高く、お客様にも喜んでいただいています。

何を勉強すべきか迷ったらまずは、セミナーから受講してみるとよいでしょう。

メンターを探す

成功している経営者はメンターがいる場合が多いです。メンターとは、自分の仕事やキャリアの手本となり、様々な助言や指導をしてくれる方です。

社長でいうなら、自分の年商の10倍、または資産の30倍くらいを達成されている方がメンターにしやすいです。

僕もメンターとしてお世話になっている方が数人います。

新しいビジネスを始めるときや、ビジネスで困ったときは、すぐにメンターに話を聞くようにしています。メンターの方もボランティアではありませんので、フィーをお支払いしていますがそんなフィー以上に活用させてもらっています（そもそもお願いしたらすぐに受けていただける方たちではないので感謝しています）。

会社をさらに成長させたいなら、講座や商材、授業でも構いませんし、メンターや顧問でもいいので、自分の勉強のためにどんどん投資をすることをおすすめします。

ちなみに、20万円以下の商材には気をつけください。20万円以下の値付けの商品はデータ上、自動で広告を回しても成約するギリギリのラインの価格設定になっています。

この価格帯の商品は、本で十分に理解できる内容が多いのでおすすめできません。

少なくとも、購入前にきちんと会話や質問できる体制のものを選ぶようにしてください。

黒字社長のルール⑥

日本の社長のほとんどが学んでいないので「常に学び続ける」ことでその他大勢から抜け出せる。「社長」という肩書を最大限利用して大物から学べ。

「大企業経営」と「大家族経営」のどちらが適しているか？

社長が社員へのマネジメントとして、大企業のようなマネジメントをするか、大家族のようなマネジメントをするかのどちらかに分かれますが、いったいどのマネジメントがよいのでしょうか？

「大企業経営」とは、大企業は中小企業とは違い株主が多くいる場合がほとんどです。要は会社を所有している株主と会社の経営を任されている社長という図式ができています。

この場合の社長は、ある意味「サラリーマン社長」ですから、任期や定年が決まったらバトンタッチとなります。

中小企業の社長のように死ぬまで社長で居続けることもないため、任された期間を経営にコミットすればよいわけです。

サラリーマン社長は決まった期間に結果を出すことを求められていますので、当然社員との関係はドライであり、ゆるい関係になることはあり得ません。

プライベートと仕事をきちんと分けて、組織として仕事だけに注力して結果を求めるマネジメントが大企業経営です。

一方で「大家族経営」とは、社員を家族のように接するマネジメントを指します。

大企業とは異なり中小企業のほとんどが社長が株主でもあります。つまり、所有と経営が分離されておらず、金融機関からの融資も会社と社長個人の両方に連帯保証を求められるなどもします。

この場合、会社の経営が悪化したら会社だけではなく個人の貯金や不動産もなくなってしまう恐れがあるので、会社は中小企業の社長にとって生活のすべてといっても過言ではないのです。

こういう事情があるため、**中小企業の社長は社員と一蓮托生で会社を運営していきたいと考えており、大家族経営というマネジメントが採用されやすくなっています。**

どちらが優れているか？

大企業経営と大家族経営はどちらもメリットとデメリットがあります。

かつて僕が経営していた2つの会社では、1つは大企業経営を、もう1つは大家族経営を実践していました。

大企業経営では、僕は自分のことはほとんどしゃべらず、経営だけにコミットした指示を出していました。

社員は僕の年齢や家族構成などもちろん知ることもありません。馴れ合うことを避けて、とにかく合理的な判断でビジネスをした結果、会社は急成長を遂げました。

急成長はしましたが、離職率が業界平均よりも高く、常に人材に困る会社となってしまいました。

もう1つの会社の大家族経営では、社員とのコミュニケーションを重視し、食事会や社員旅行などのイベントも積極的に実施しました。

僕が父親で社員が子どものような関係で、僕が指示をし、フォローしながら会社を成長させていき、売上数億程度まで1年半でつくりました。

大家族経営は、基本的に僕、つまりは社長がいないと始まりません。

もちろん、指示したことはきちんと社員で回せるのですが、新しい何かを生み出すなど、利益を自分たちでつくれる社員はなかなか育ちません。

数億程度の会社で満足できるなら大家族経営でも構わないのですが、より成長させたいなら大家族経営からシフトする必要があります。

例を挙げると、僕の後輩が大家族経営を売りにして、飲食店で200億円までの会社をつくりました。

売上3億円程度の時から知っていますが、自分の大学のサークルの後輩やそのまた後輩などを率いて、自分を父親とした大家族をつくりあげました。

一応、役員みたいな人もいるのですが、大家族経営の場合は、父親が決めたことが絶対なことに変わりはありません。

もし、「父親」が間違った道を進んだとしても止める人がいないのが欠点でもあります。

この会社は2023年に負債90億円以上を抱えて倒産してしまいました。

なぜそうなったかというと、「父親」である社長がファンドに大半の株を売却し、社長を降りてしまったからです。

ファンドの経営は大企業経営が基本なので、大家族経営に慣れていた社員はファンド側が求めるタスクについていけません。

社員はどんどん辞めていき、最終的に倒産となりました。

この例からもわかるように、大家族経営はある程度の売上をつくったら、大企業経営にシフトしないと、社長に何かあったら崩壊してしまいます。

2つの経営を試した僕のおすすめは、**売上数億までは大家族経営で忠誠心の強い役員を育て、それ以上の売上を目指す段階で役員以外には大企業経営としてドライなマネジメントをしていくのが良い**と考えています。

僕のクライアント先の大企業も役員会での社長の顔と全体での社長の顔を使い分けている方も多いので、この「ハイブリッド型」がうまくいく秘訣かと思います。

黒字社長のルール⑦

経営手法の正解「あるタイミングで大家族経営から大企業経営への転換をはかる」。この「タイミング」を見落としてはならない、その見極めこそが社長の仕事。

社長に「消費期限」はあるのか？

日本の社長の現在の平均年齢を知っていますか？

帝国データバンクの調査によると、2022年の社長の平均年齢は60・4歳で、社長の平均年齢は32年連続で記録を更新しています。

日本には400万社以上会社があり、社長の年齢の半分が60歳以上、70歳以上だと4人に1人、そして50歳以上は80％を超えています。

また2025年には、約6割の245万社の社長が70歳以上となり、そのうち127万社が後継者が不在というデータも発表されています。

社長を引退する平均年齢が68歳程度といわれていますので、**このまま社長の高齢化が進み、何も手だてがなく廃業することになると、約650万人の雇用が失われ、22兆円のGDPも失われる**といわれています。

なぜ、このような事態になったかの一つの要因は、社長が自分の「消費期限」を理解していないことです。

僕の取引先の会社に40年以上の歴史のある建設会社があります。その会社は県の仕事や大手の仕事を社長が自ら営業してとってきているワンマン会社で、僕は内装関係でお世話になっていました。

10年前は担当の方もお元気で、全国を一緒に飛び回っていましたが、つい最近退職の挨拶にいらっしゃいました。

そこで、その会社の社長はもう80歳を超え、担当も70歳を過ぎたと聞きました。また、会社で一番若い社員も55歳とのことで、社長がいなくなったらもう廃業だと社員が半ば諦めている状況なのだそうです。

同じような状況が日本には多くあるのではないでしょうか。

社長の仕事の一つはエグジットを考えることです。

自分がいなくなった場合に備えて、会社を譲渡できる状態に整えておくことは、一緒に働いている社員のためにも必要不可欠な準備かと思います。

僕が考える社長の消費期限は10年です。

理由としては、上場企業を観察するとわかりやすいです。

例えば、会社が不動産のビジネスで上場したとしましょう。上場企業は毎年成長することを株主から要求されます。

成長しないと株価が落ち、社長の責任問題にもなりますから社長は必死に会社を成長させようとします。

毎年毎年成長させようと思うほど、不動産ビジネスだけでは難しく、他の新規ビジネスや横展開したビジネスを模索していきます。

10年後には不動産事業だけではなく、より多くの事業を展開して成長しているのが成功パターンです。

僕は上場企業を分析していて10年間全く同じビジネスをしているだけの企業は一社もないことを知っています。

その意味で、一つのビジネスをある程度の形にする能力は10年が限界であろうと考えています。

その後は新しい能力を持った人を育てていき、バトンタッチの準備をするのが社長の役

図3　日本企業の経営者の年代別構成比

社長の年代別構成比

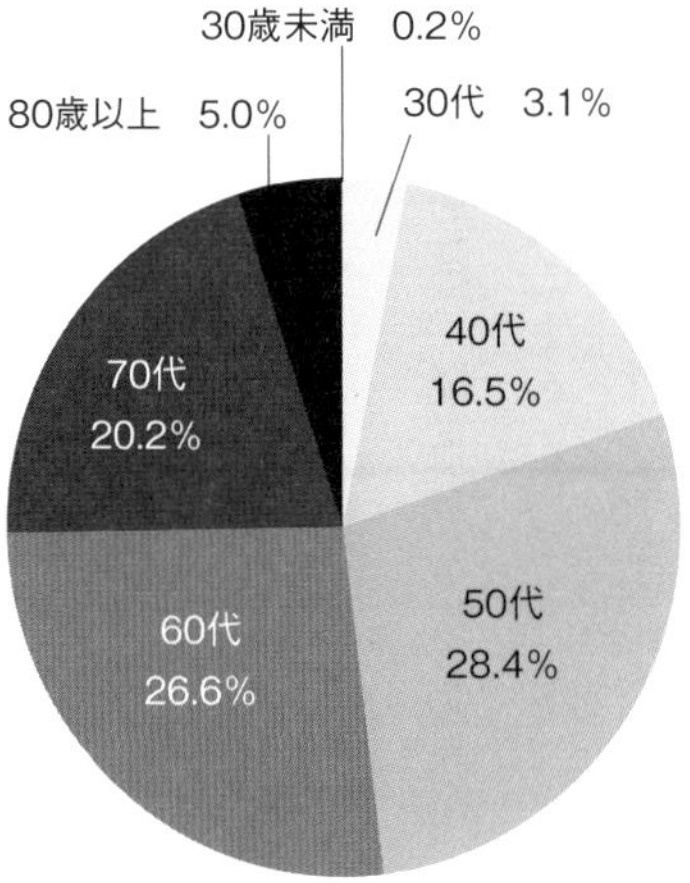

業種別 社長平均年齢・年代別構成比

(%)

業種	平均年齢	30歳未満	30代	40代	50代	60代	70代	80歳以上	合計
建設	59.9	0.1	2.5	17.4	30.1	26.1	19.9	3.9	100.0
製造	61.4	0.1	2.0	14.2	28.4	28.4	21.1	5.7	100.0
卸売	61.2	0.1	2.5	14.7	27.9	27.6	21.3	5,8	100.0
小売	60.4	0.2	3.7	17.2	26.6	25.8	20.7	5.7	100.0
運輸・通信	60.2	0.2	2.7	14.9	32.2	27.3	18.5	4.3	100.0
サービス	58.9	0.3	4.6	18.8	28.4	26.6	17.7	3.7	100.0
不動産	62.5	0.2	3.6	14.3	23.9	24.3	24.2	9.5	100.0
その他	59.4	0.2	4.4	18.0	26.6	28.8	18.4	3.6	100.0
全体	60.4	0.2	3.1	16.5	28.4	26.6	20.2	5.0	100.0
うち上場企業	58.7	0.0	2.5	15.2	30.7	41.8	9.0	0.8	100.0

出典:株式会社帝国データバンク「全国『社長年齢』分析調査(2022年)」

目なのではないでしょうか。

■サーチファンドの存在

社長の後継者問題は自ら後継者を育てるのが理想ではありますが、なかなかうまくいかないことも多いです。

その場合はM＆Aを選択するのですが、最近ではM＆Aの中でも中小企業の新たな事業継承の戦略として「サーチファンド」が注目されています。

サーチファンドとは、経営者を志す個人が、中小企業を発掘し、出資者の支援を受けて自ら経営に参加することをいいます。

優秀な社長候補と可能性のある中小企業を繋ぐ投資戦略で、海外を中心に拡大しており、日本でも周知されはじめてきています。

最近では、サーチファンドが社長養成学校を設立し、優秀な社長候補に経営ノウハウを学ばせてから中小企業の社長にするという形式も出てきました。

後継者のいない中小企業にとっては、サーチファンドが推薦する社長候補を数人と面談し、ふさわしいと思った人の学費を払い、その後、会社にジョインしてもらい1年後に後継者となってもらうというなかなか魅力的なプランになっています。

もちろん、会社はサーチファンドに売却しますので創業者利潤も入ります。

中小企業の後継者問題は今後もかなり深刻な問題として日本を騒がせると思います。読者の皆さんも社長の消費期限をしっかり意識して、いつでもエグジットできる体制をつくることを忘れないようにしましょう。

黒字社長のルール⑧

社長の消費期限は10年間。その後は後進に譲るかエグジットを考える。後継者が自社で育っていない場合は「サーチファンド」も検討の一つ。

第2章 資金調達のルール

会社を安定的に経営するにはキャッシュが何よりも重要になります。

会社は赤字だからつぶれると勘違いしている方もいますが、実際はそうではありません。

よく大手企業が数百億の赤字に転落したというニュースが出ますが、それでつぶれたりはしていません。なぜつぶれないかというと、豊富な現預金があるか銀行の融資枠にまだまだ余裕があるからです。会社はキャッシュが用意できなくなったときに倒産します。

この章では、会社運営で会社を倒産させないために一番重要な資金調達について解説していきます。

黒字会社を安定させるためにもしっかり学んでおきましょう。

知っておくべき銀行融資の基本

会社を成長させるためには資金が必要なのは言うまでもありません。起業の最初は自分の貯金や親や友人から借りてお金をつくることも多いかと思います。しかし、その程度の資金では実際に会社をやり始めるとすぐに資金ショートになり会社を存続できない事態に陥りがちです。

そうならないために会社として資金を調達する必要がありますが、その際に最もメジャーな方法は「銀行融資」だと思います。

銀行融資とは、銀行が事業者に対して事業に必要なお金を貸し出す融資であり、大小の規模にかかわらず多くの企業が受けています。

事実、**銀行融資を受けない会社の3~5年の存続率は約50%に対し、銀行融資を受けた会社の3~5年の存続率は約90%**となっています（図4参照）。

会社が黒字化して安定するまでは、資金調達が必要不可欠なことを理解し、まずは銀行

図4　過去に融資を受けた企業の存続率

存続廃業状況

（単位：%）
（n＝3,517）

	存続	廃業	存続廃業不明
第１回調査（基準） （2016年末時点）	100.0	0.0	0.0
第２回調査 （2017年末時点）	97.5	2.2	0.3
第３回調査 （2018年末時点）	94.7	4.7	0.6
第４回調査 （2019年末時点）	92.1	7.0	0.9
第５回調査 （2020年末時点）	89.7	8.9	1.4

（注）nは集計対象数

出典：日本政策金融公庫総合研究所「2016年に開業した企業の５年間の動向―「新規開業パネル調査（第４コーホート）」結果から―」

融資についてしっかりと理解をしておきましょう。

銀行の種類と融資状況

①都市銀行

都市銀行とは、都市圏に本店があり全国に支店を構えている銀行のことです。基本的には、三菱ＵＦＪ銀行、三井住友銀行、みずほ銀行、りそな銀行などのことを指しています。融資に関しては、個人は住宅ローンなどでお世話になることもありますが、法人に関しては基本的に大企業を相手にしているため、中小企業には冷たい印象です。

僕も最初に会社を設立した時はまだ学生だったこともあり、僕の中で一番有名な銀行に口座をつくりにいったことがあります。

受付で法人口座の開設をお願いすると、しばらく待つように言われて1時間くらい待機していました。

混んでいたように見えなかったのですが、ようやく担当の方がいらっしゃり、会社の説明をするなり「本行と今までお取引がありますか?」「個人取引の金額では難しく、ご両親はいかがでしょうか？」と事務的に質問されました。

僕の家は経営者一家ではなくサラリーマン一家でして、親戚にも経営者はいないという話をしたところ、口座開設を断られました。

これはまだいい例で、ひどいところは資料提出をしてほしいと言われて必要資料を提出しましたが全く連絡がこないところもありました。

また、年商数億円程度だと担当すらつかないので、せめて年商10億円を超えてから融資相談をしたほうがいいかと思います。

ただ、ベンチャー企業で将来有望であると認められた会社は、都市銀行でも積極的に融資をする部門もあります。

中には通期で赤字でも単月で黒字になるといきなり数億の融資をした都市銀行もあり、その噂が広がり融資を求めたベンチャー企業がその都市銀行の融資窓口に列をなしたこともありました。

時代の変化によって、急に融資対応が変わることもありますので口座だけはつくっておくといいかと思います。

②地方銀行

地方銀行とは、各都道府県を中心として本店を置いている銀行のことを指します。**地方銀行が取引しているのは主に中小企業ですので、地元に本店がある地方銀行との取引は重要なので必ず口座開設はしておきましょう。**

特に、信用保証協会を利用した取引に地方銀行は強いので、数千万円くらいなら保証審査も通りやすくなっています。この「保証協会付き融資」とは、会社が返済できなくなったときには保証協会が代わりに返済してくれる融資のことで、この後P75で詳しく解説します。

地方銀行の中でも新しくできた支店では、ノルマ達成のために低金利での融資提案や、通常より審査が緩くなるなど積極的な営業を行うこともよくありますので、新しい支店の情報には注目しておきましょう。

会社の売上規模でいうと数億円くらいからが対応してくれる数字だと思いますので、このレベルまで会社を育てると一気に資金調達がしやすくなります。

③信用金庫

信用金庫は地方銀行よりもさらに営業エリアが狭く、融資取引額も小さい銀行です。地方銀行ほど大きくはありませんが、**スタートアップには最適な銀行で、売上が1億円未満の会社でも担当者がつき、きめ細かい対応をしてくれる**こともあります。

僕がつくる会社は、まずは信用金庫に口座をつくり、会社を1年運営して決算が出た段階で数千万円を保証協会付きで融資をしてもらうのが通例でした。

融資から2年くらい経つと、次は借り換えでさらに多くの融資を受けるのが基本で、8000万円くらいの融資までは信用金庫で十分やりくりできると思います。

④日本政策金融公庫

政府系金融機関である日本政策金融公庫は、中小零細企業への支援を主な目的とした銀行です。

コロナ禍の時には「コロナ融資」で使われた方が多くいましたが、本来は「創業融資」で活用する会社が多いイメージです。

創業融資とは、日本政策金融公庫が得意としている融資で、創業時にのみ利用できる融資制度のことです。

起業に必要な資金が自分の預貯金だけでは厳しいことは前述しましたが、自己資金では足りない部分を融資でまかなうことができます。

一般的に、どの銀行でもお金を借りるには決算書を提出する必要があります。

銀行は決算書の数字を見て過去の業績を基にお金を貸すかどうかを判断します。

しかし、創業融資は、会社を始めてすぐに借りる融資なので、一期分の決算書がなくても、事業計画を見て貸すかどうかを判断します。

もちろん創業融資の性質上、普通の融資より断然借りやすくなっています。

創業融資で融資を獲得するポイントは2つあります。

まずは事業計画書、そしてもう1つが自己資金の有無です。

基本的には自己資金がないと融資はおりません。

さすがにこれからビジネスをやろうというのであれば、ある程度計画してお金を貯めているのは当然であり、思いつきのアイデアには融資されません。

また、**融資額の基本的なルールですが、「創業資金総額の10分の1の自己資金」**と決められています。

仮に自己資金が100万円とすると、900万円までの融資が受けられることになっています。

しかし、実際は自己資金の３～４倍程度が融資の上限になっていることがほとんどです。

僕の顧問先もルールを鵜呑みにして創業融資に挑みましたが、結局自己資金の３倍しか借りられませんでした。

仮に新規ビジネスで１０００万円が必要だとすれば、自己資金３００万円程度が必要になると思っておきましょう。

黒字社長のルール 9

銀行融資を受けない会社の3～5年の存続率は50％。自社のステージに応じて「メインで付き合うべき金融機関」を間違えない。

「資金調達」ではどのくらい調達すべきなのか？

銀行融資を考えたときにどのくらいの融資を受ければよいのでしょうか？

最近、経営者の間でよく言われているのが「月商の3カ月分は融資を引っ張る」です。

これは、コロナ禍の際に銀行に多くの会社が融資を受けようと殺到したことに由来しています。あまりに多くの申し込みがあったので、銀行も手続きが追い付かず、融資がおりるまで3カ月程度かかりました。

このような不測の事態は今後も起こる可能性を考えると、最低月商の3カ月分は融資を受ける必要があるというのも実にリアリティがありますね。

ただ、この数字は経営にギリギリのラインで、実際は最初の融資を銀行から断られることも考えると、さらに時間がかかるため、**「月商の6カ月分の融資」があれば安全ライン**かと思います。

これが現在の一般的な経営者の考え方ですが、会社を成長させてきた社長はこのようには考えていません。

彼らはほぼ例外なく、**銀行からは借りられるだけ借りる**ということをモットーにしています。

銀行から最大限にお金を借りておけば、何が起こってもそれなりに対応できますし、いざ勝負を仕掛けたいと思ったときにも現金をすぐに使うことが可能だからです。

もし、お金が必要なければそのまま持っていればよいだけですし、今の銀行金利など黒字化している会社からすれば無きに等しい金額という感覚でもあります。

会社を大きく成長させるならこの程度のリスクはとるくらいの器量は必要なのです。

最大限に融資を受けるには？

借りられるだけ借りるポイントは、「保証協会付きの融資」と「プロパー融資」を使い分けるのが重要です。

保証協会付きの融資は、会社が返済できなくなったときには保証協会が代わりに返済してくれる融資ですので、銀行にデメリットがない融資になります。

ただし、保証協会付き融資は、会社によって融資枠が決まっていますので、満枠を使ってしまうと融資がおりなくなります。

プロパー融資は、銀行が直接融資をする融資で会社が返済できなくなった場合、銀行は損失を受けるリスクのある融資です。

当然、リスクのある融資となりますので、銀行もある程度信用がある会社にしかプロパー融資はしません。

ここで実際の経営に際しての融資のアドバイスをすると、最大限に融資を受けるには、**まずは保証協会付きの融資を枠の70％まで受け、返済をして枠が50％まで空いたら次はプロパー融資を申し込む**という形がベストです。

ここでは、返済実績を作って銀行との信頼を積み上げながら、保証協会付き融資からプロパー融資へと移行していくのがポイントです。

僕のクライアントも、最初は保証協会付き融資だけで銀行と付き合っていましたが、より資金が必要な時に銀行が追加融資をしぶることがありました。

そこで保証協会付き融資を50％まで返済後に借り換えを提案し、借り換えは保証協会付き融資だけではなくプロパー融資とも交渉をしてプロパー融資を勝ち取りました。

プロパー融資がおりたことで、保証協会付き融資の枠はまだ30％残っています。この状況をつくれば、いざさらに資金が必要なときでも保証協会付き融資の枠が余っていますので、比較的すぐに融資がおりるのです。

資金繰りに困らないように銀行と交渉しこの状況をつくりましょう。

コンサルタントの活用

自分で融資を申し込むのが不安な方は、コンサルタントを使う方法もあります。融資を申し込むには、金融機関が納得する事業計画が必要となります。

自分で作成できる方はよいのですが、作成する自信がない方や作成の時間がとれない方はコンサルタントに頼むことも視野に入れておきましょう。

コンサルタント業務は大抵が会計事務所が運営しているのですが、成果報酬として調達した額の3〜5％で対応してくれるところがほとんどです。

コンサルタントの中には銀行の担当と親しくしている方もおり、その場合事前にある程度打ち合わせをしてくれるので融資審査はかなり通りやすくなっています。

成功報酬のため、融資がおりなければお金はかかりませんので、資料作りの時間がとれない方には人気のあるサービスです。

ただし、中には法律で決められた以上の手数料をとる会社や着手金だけとって何もしない悪徳な会社もありますので、きちんと吟味することが重要です。

黒字社長のルール⑩

会社を成長させてきた社長は「銀行からは借りられるだけ借りる」。

「必要なときに必要なだけ」思考が本当に必要なときに資金不足を生じさせる。

銀行融資以外の調達方法

会社を経営していると業績が良いときも悪いときも当然あります。

たまたま、業績が悪いときに不運が重なり資金が足りなくなることもなくはないでしょう。

銀行に対して業績がよいときも悪いときも頻繁に担当者に顔を出し、業務報告をして関係を築いていれば助けてくれることもありますが、そうではないと融資を断られてしまう可能性が高いです。

万が一のために銀行融資以外の資金調達の方法も学んでおきましょう。

本書では次の方法をお教えしたいと思います。

社債の活用

社債とは、会社が中長期の資金を調達する際に発行する債権のことです。

会社が直接投資家から資金調達をするため、銀行借入とは異なり、社債を発行する会社がある程度自由に返済方法を決められます。

社債には公募債と私募債があるのですが、社債を発行するにはいくつか条件があるため、**中小企業が活用する社債としては、少人数私募債だけを覚えておけば問題ありません。**ちなみに、公募債とは公開市場において広く一般に募集し発行される債権のことで、私募債とは公開市場を通さず投資家に対し直接発行される債権です。

少人数私募債は、商法や証券取引法の手続きをしなくてもすむ社債で、事業計画や募集要項を整備し、発行条件（引受人が50人未満、発行総額が1億円未満であること）に従えば発行することができます。

また、将来有望なスタートアップの場合には転換社債を発行する方法もあります。

転換社債は、発行会社の株式を決められた価格で購入する権利が付いている社債です。

図５　社債には「公募債」と「私募債」の２種類がある

公募債

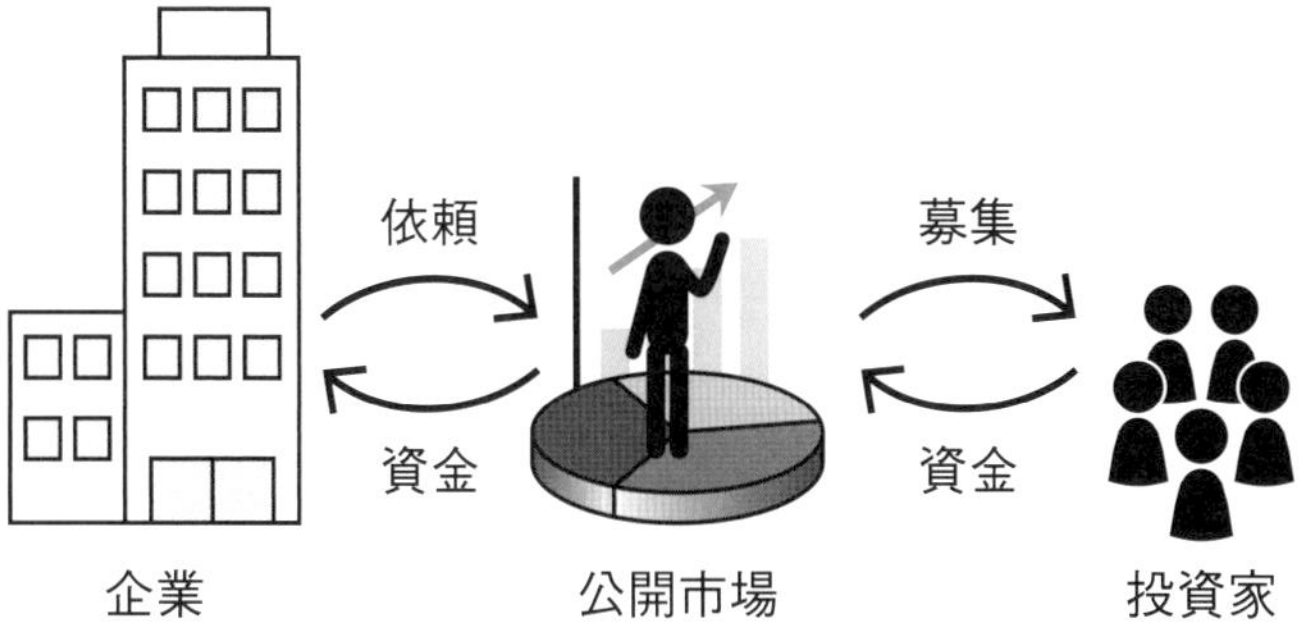

私募債

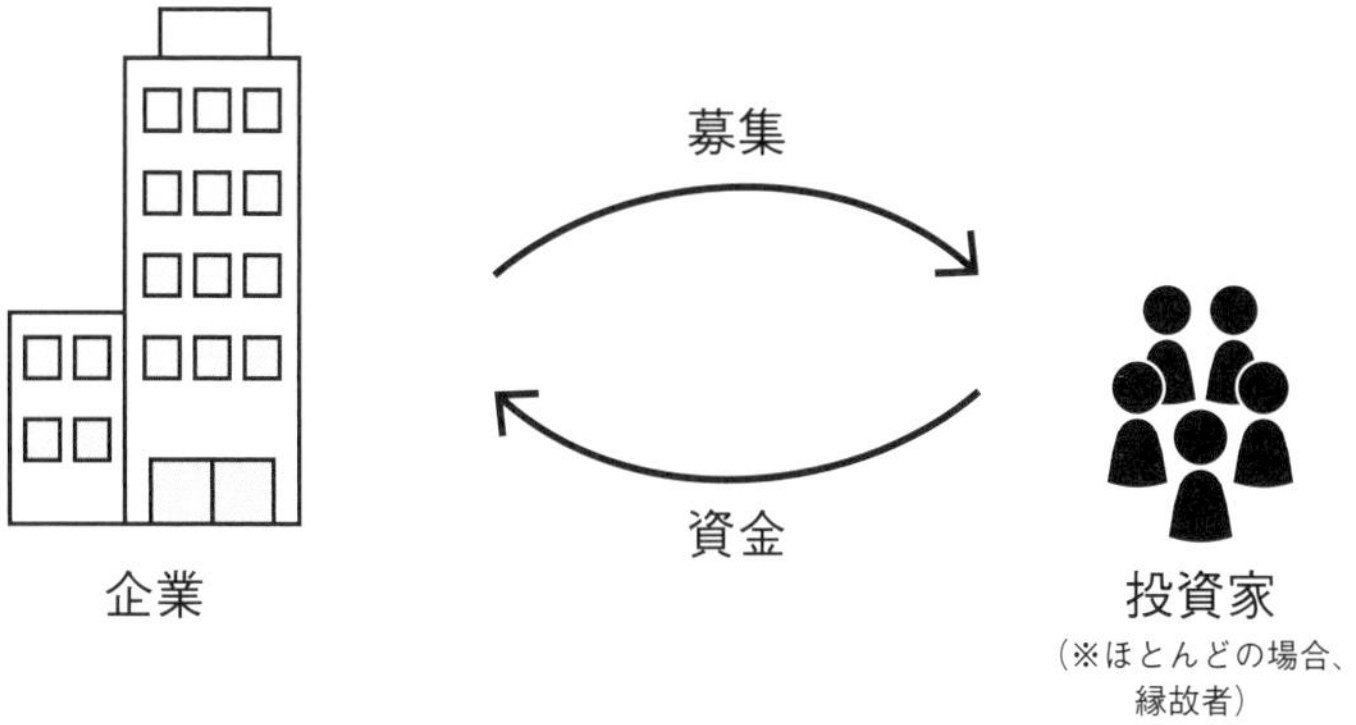

社債と株式との両方の性格を持っているので、社債としての安定性と値上がりが期待される株式としての魅力の両方を兼ね備えた社債といわれています。

少人数私募債にするか転換社債にするかは、将来の会社のエグジットのビジョンによって選択するのがよいでしょう。

少人数私募債はある意味投資家からの融資なので、返済が必要ですが株をとられることはありません。

転換社債は返済しない代わりに株に代わる性質のある社債ですので、ある意味出資に近い性質があります。

株主を入れずに自分で運営をしていくなら少人数私募債、将来上場を目指すなら転換社債といったふうに、将来の会社のエグジットのビジョンによって選択するのがよいでしょう。

ファクタリングとブリッジ融資

ファクタリングとは会社が保有している売掛金をファクタリング会社に売却して資金を得る金融サービスです。

例えば500万の商品を納品しても入金は2カ月先ということも業種によってはよくあります。

このような業種はキャッシュフローが悪いため、資金繰りに苦しむことが多いです。

そこで、その500万の売掛金をファクタリング会社に売却し、資金繰りを改善できるのがこのサービスです。

銀行融資とは違い、審査も数日で終わる場合が多く、担保も保証人も必要ありません。

債務超過や税金や社会保険料の滞納により銀行融資がおりない企業はファクタリングを有効活用するのも戦略の一つです。

ファクタリングにももちろんデメリットはあります。

それは手数料が高いことです。会社によっても手数料は変わりますが、最大20%の手数料をとる会社もあります。

特に金額が小さいと手数料は高くなる傾向があり、中にはヤミ金のような動きをする業種もいますので注意が必要です。

図6　ファクタリングのメリット・デメリット

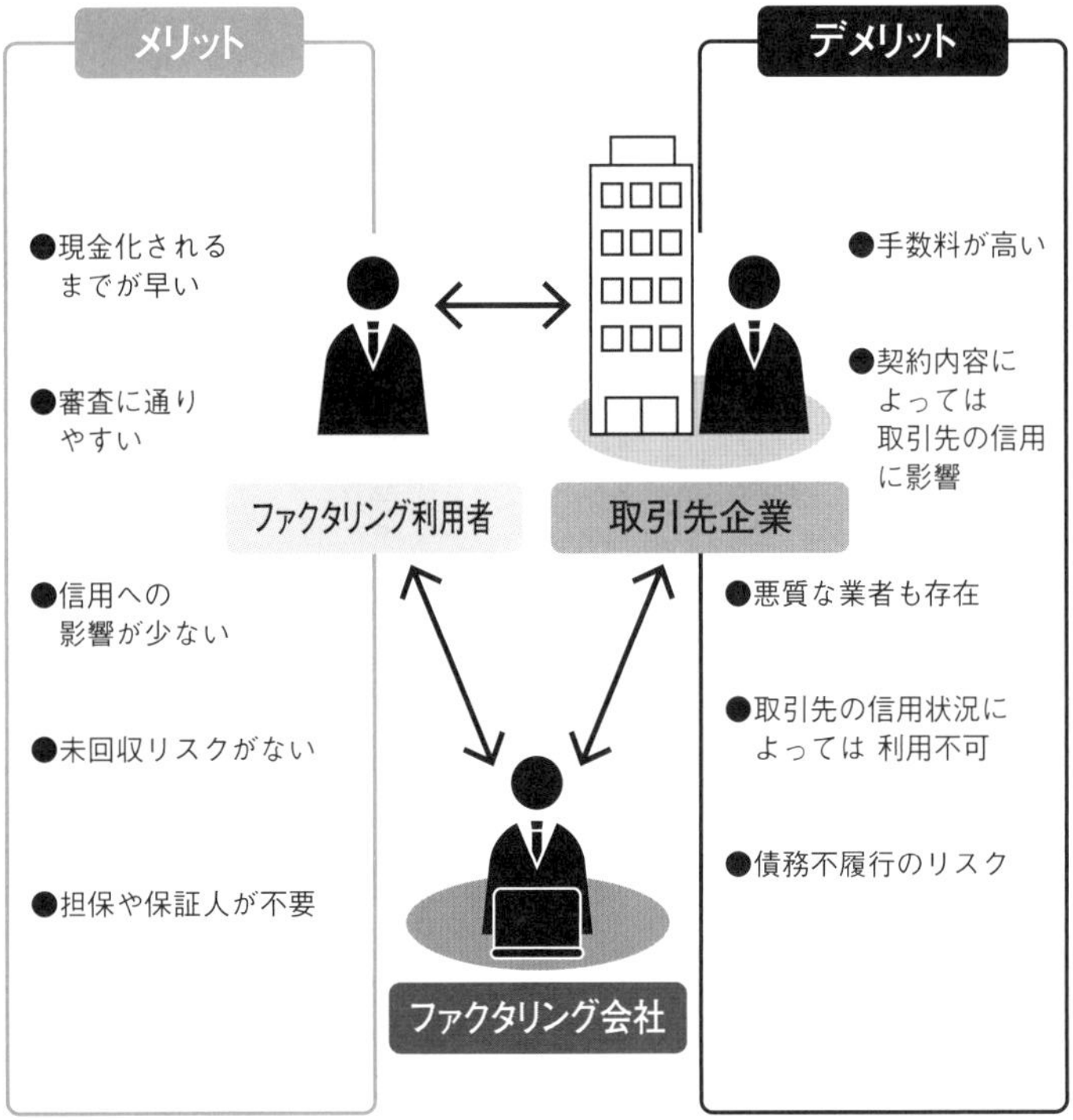

ファクタリングを考えるときは、なるべく大手の会社から候補を絞っていきましょう。

また、短期的に資金が必要な場合はブリッジ融資という方法もあります。

ブリッジ融資は「つなぎ融資」とも呼ばれていますが、大きな資金調達に時間が要する場合に短期間だけ融資されるローンのことで、融資と融資の間の架け橋のようなローンなのでブリッジ融資と呼ばれています。

ブリッジ融資の特徴は審査が早く、ネットだけでも完結してしまう業種もあるという点です。

最近では大手銀行参加のカードローンなども参入しており、数百万円程度の融資を請け負っています。

注意点としては、**短期間の融資なので金利が異常に高い**です。

顧問先の会社で銀行融資が出るまでカードローンを利用したところがありました。審査はすぐに出て使いやすいのですが、やはり金利がネックとのことでした。

その会社は銀行融資が出るまでに6カ月もかかってしまい、背に腹は代えられず、高額な手数料を支払うことになりました。

本命の融資が出ずにブリッジ融資の期間を引き延ばすことになると、金利の支払いだけで元本はほとんど減らず、資金繰りがかなりきつくなるので、慎重な判断が必要になります。

このように資金調達は会社を成長させるのには重要な戦略なので、様々なパターンをしっかり把握しておきましょう。

黒字社長のルール⑪

銀行だけが借入先ではない。社債・ファクタリング・ブリッジ融資……。「知っているだけ」でいざという時の選択肢が広がっていく。

金融機関の金利状況を把握しよう

会社を成長させるのには資金が必要で、資金調達で一番ポピュラーなのは銀行融資を活用することとです。

ただ、資金繰りをシビアに見ていくと、銀行によって融資の金利が異なるため、融資の相場を理解しておきましょう。

まず、**都市銀行や地方銀行のプロパー融資金利の金利相場はだいたい1〜3%**におさまります。

プロパー融資は、決算書を3期分出し、銀行に認められ信用力が高くなるほど金利は低くなります。

これは個人の住宅ローンも同じです。

一般的に住宅ローンは1億円までとされていますが、優良企業の経営者は2億円まで借りることができます。

また、さらに富裕層となると住宅ローンと同様の金利で3億円まで出す銀行もあるので、個人も会社も実際には銀行評価によって金利も変わります。

続いて信用金庫の場合は、信用保証協会付きの融資となり、**金利相場は1・5～3%程度ですが、別途信用保証協会に0・1～0・8%の保証料を支払う必要があります。**

ここまでは、中長期的に融資を受ける場合の金利になりますが、銀行から融資を断られたときには、ビジネスローンやノンバンクからの借り入れをせざるを得ないこともあります。

最近では、ネットで融資を仲介する会社もでてきましたが、そのほとんどが都市銀行や地方銀行、信用金庫を仲介するのではなく、ビジネスローンの紹介となっており、ただでさえ金利が高いのに手数料もとられるため問題となっているのでお気をつけください。

ビジネスローンはGMOあおぞらネット銀行や東京スター銀行など銀行系の商品もありますが、**金利は8%程度**となっています。

審査は通常の銀行融資よりはスピードも速く、1～2週間で融資実行となることが多いです。

またノンバンクですと、アコムやSMBCモビットなどが有名で、三菱UFJや三井住友グループなので安心感はありますが金利は高いです。**ビジネスローンの金利と比べると、3~4%程度金利が上乗せされるというイメージ**でしょうか。

金利が高い分審査スピードは速く、最短即日というパターンもあるのが魅力の一つです。

銀行は会社状況によって金利を変えています。つまり、**業績がよいときに融資を申し込めば金利条件もよくなる**ということです。

金利が低いほど資金繰りが安定しますので、融資計画は前もってしっかりと立てる必要があります。

黒字社長のルール⑫

社長が見ているように銀行もあなたの会社を見ている。「業績がよいときに融資を申し込めば金利条件もよくなる」ことをしっかりと覚えておく。

投資家から出資を受けるには？

融資を受けて、ビジネスをさらに伸ばすためにより資金が必要な場合は、投資家から出資を受けるという方法もあります。

コロナ禍前はあまり馴染みがありませんでしたが、最近ではエンジェル投資家と呼ばれる方がずいぶんと増えてきました。

僕もエンジェル投資家として活動していますが、金融庁に登録もしている「適格機関投資家」でもあります。

この適格機関投資家はいわゆるプロ投資家で、金融資産10億円以上を現在も運用している個人のみ登録でき、ファンドをつくることができます。

金融庁のホームページを見れば、適格機関投資家の名前が公表されているのですが、170人程度いまして、そこにはエンジェル投資家として有名な方や有名な経営者も登録しています。

彼らにプレゼンをし、資金を獲得する方法も検討してみましょう。

エンジェル投資とは何か？

エンジェル投資とは立ち上げ初期の未公開企業に投資し、リターンを得る投資のことをいいます。

立ち上げ初期というのは、スタートアップ企業、もしくはベンチャー企業といいまして、簡単にいえば起業して数年も経っていない出来立てホヤホヤの会社のことです。

その企業に自分のお金を出資して、会社がうまくいった際にリターンを得る人たちをエンジェル投資家と呼んでいます。

エンジェル投資家に会うには？

エンジェル投資家に自社の事業計画をプレゼンしたいとき、どのように接触すればよいのでしょうか？

昔は知り合いのツテを使い、なんとか人脈をつくりながら紹介してもらいエンジェル投資家にたどり着くことがほとんどでしたが、**今はインターネットで簡単に出会えるようになりました**。

ネット検索で「エンジェル投資　マッチング」と検索すれば様々なサイトがヒットするはずです。有料のものや無料のものと様々ですが、僕の経験上では起業家の登録数が多いものがマッチングしやすいです。

また、ＳＮＳでもプロフィールにエンジェル投資家と書かれている方も増えてきました。直接メッセージを送れば、返信がもらえるかもしれません。

実際に僕はメッセージがきて、初対面で面談して出資をしたこともあります。

また、最近ではクラウドファンディングでも出資を募集することが可能となっています。株式会社FUNDINNOが運営している「FUNDINNO（ファンディーノ）」を中心にネット上で出資を受けられる仕組みがますます加速しているのもスタートアップ企業にとっては追い風になっています。

出資を受けたいなら、どれもまずは行動あるのみです。

ピッチイベントとは?

エンジェル投資家から出資を得る手法として「ピッチイベント」に参加するという選択肢もあります。

ピッチイベントとは、スタートアップ企業が自社の強みや将来性について投資家にプレゼンをし、資金を獲得するのを目的としたイベントのことです。

複数の企業が登壇してプレゼンを競う形式となるため、きちんとした事前準備が必要となります。

ピッチイベントは、ネットで検索すれば様々なイベントが出てきますので、自分の事業に合いそうなイベントに参加するといいでしょう。

最近は海外に進出できるような規模感のビジネスや、SDGs系で特に脱炭素を絡めたビジネスは資金が集まりやすい傾向にあります。

エンジェル税制を利用するエンジェル投資家から出資を集めるために、投資家にとってメリットがある「エンジェル税制」を使えるように設計するのも一つの手です。

エンジェル税制の優遇措置を受けるためには、基準日において企業要件と個人投資家要件をすべて満たす必要があります。

簡単にまとめると以下の要件があります。

［企業要件］
第1要件：特定の株主・株主グループの持株割合が、「特例を除き」5/6を超えないこと
第2要件：大規模法人の所有に属さないこと
第3要件：未上場の株式会社であること
第4要件：中小企業であること
第5要件：新規性、成長性が見込まれる企業であること
①研究者・新事業活動従事者が2名以上存在すること
②CF計算書の営業CFが過年度全てにおいてマイナスであること

③試験研究費等が収入金額の3%ないし5%を超えていること
④売上高成長率が25%を超えていること
⑤優遇措置Aは設立経過年数が1年未満～3年未満を対象とし、優遇措置Bは設立経過年数が1年未満～10年未満を対象とすること

［個人投資家要件］
第1要件：個人投資家が、金銭の払い込みにより新規に発行した株式を取得していること
第2要件：個人投資家が、同族会社の判定の基礎となる株主に属さないこと

難しい用語もあり手続き自体も煩雑で面倒なのですが、**エンジェル税制が使えれば投資したいといってくるエンジェル投資家は間違いなく増えます。**

ここを乗りきれれば資金調達もより加速することでしょう。

専門家に依頼する

エンジェル税制の申請をしたいがやはり難しいという方は専門家に頼む方法もあります。

そもそもなぜエンジェル税制の申請が難しいかというと、申請パターンが9つもあり、満たすべき要件が異なれば申請パターンや申請書類が異なることや、満たすべき企業要件は11個、さらに個人投資家要件が8個、提出書類は約15種類あるため、複雑かつ多岐にわたることが要因です。

このため最初から申請を諦める企業や、申請しても途中で申請を断念する企業も多いのがエンジェル税制の特徴で、**申請を考えている企業のうち申請に成功したスタートアップは4割程度**と言われています。

自分では難しいのは当たり前の制度ではあるので、どうしても資金調達をしたい場合は専門家に頼むことも視野に入れておきましょう。

エンジェル税制を利用した投資とは？

無事にエンジェル税制の対象となる企業となれれば、富裕層の投資家から出資を受けるチャンスが間違いなく広がります。

僕が運営している会員制のレストランにも投資部という部活があるのですが、やはり投資対象がエンジェル税制対象の企業のみという方も多いです。

なぜそうなるかというと、エンジェル税制を使えると節税をしながら出資することができるからです。

どういうことかというと、**エンジェル税制が使えると、税金の優遇措置を受けられます。**その中で、税金が控除となる項目があり、総所得額の40％か800万円のどちらか低いほうを選択できます。

つまり所得が高い人は元々税金で800万以上支払うお金をエンジェル税制を使えばその税金分のいくらかを出資にまわせるためお得というわけなのです。

例えばあるミシュランで星付きレストランのシェフが独立したいとして投資家を頼った

ことがありました。投資家もシェフの作る料理に惚れ込んでいたこともあり、まわりの投資家を巻き込みお店を出店させました。その時のスキームでエンジェル税制がうまく使われていました。

投資家で年収が高い方を10名程度集め、税金を払う代わりにエンジェル税制を使ってシェフの会社に投資するように促したのです。

投資をした分の配当をどうするかなども調整して（予約困難店になっても予約できるなど）、見事にお店ができました。

この例でわかるのは、投資家にとってもエンジェル税制はお得であるということです。

こういう理由もあり、エンジェル税制の対象企業になることさえできれば投資される確率が上がるのです。

黒字社長のルール⑬

エンジェル投資家と良い取引ができるようになるためのキーワード「エンジェル税制」。しっかりと理解し、お互いにWIN-WINになれる関係を築く。

出資を受けるメリットとデメリット

投資家から出資を受ける場合、メリットもデメリットもあります。

そもそも銀行融資とは性質が異なる資金調達ですので、そのあたりも整理して理解しておきましょう。

出資も銀行融資も資金を調達する手段の一つではあるのですが、最大の違いは「返さなければいけないお金なのか、そうではないのか」の違いです。

まず、**投資家から受けるお金、つまり出資は「返さなくてもよいお金」**です。

お金を出資する投資家はその会社の将来的な成長や、上場した場合の株価の値上がりや配当、バイアウト後の利益を期待して出資をします。

出資を受けた側は返さなくてもよいと聞くととても有利に聞こえますが、あなたを信じてお金を出資してくれているのですから、事業計画通りにエグジット（バイアウトや上場）をして投資家に恩を返す責任があるのを忘れてはいけません。

多額の出資金に気をよくしてしまい事業計画以外の遊行費に使ってしまうと損害賠償請求がきて、二度とビジネスの世界には戻れない可能性もありますので注意しましょう。

一方、**融資は「返さなければいけないお金」**です。

つまり「借金」のことです。

創業融資など一般的に金融機関などから設備の購入資金や運転資金などを調達するお金は借金なので返す必要があります。

どちらの場合も資金を獲得できるという点では同じですが、デメリットもあります。

まず、銀行融資は借金なので必ず返さなければなりません。

実績がなければ連帯保証でご自身も保証人となることがほとんどなため、事業が失敗しても借金は残り、自己破産しない限り自分で借金を返す必要があります。

最近では日本政策金融公庫で、無担保、無保証の融資制度もでてきているのですが、まだそこまで市場に浸透はしていません。

一方で投資の場合は仮に失敗しても資金を返す必要はありません。

ただし、資金を出資してもらう代わりに自社の株を差し出す必要があります。

仮に1000万円を出資してもらい、株を30％差し出したとしましょう。

その場合、会社を売却する際に1億円で売却できたとしたらその30％は投資家に渡す必要があります。

本来は1億円がまるまる入るのですが、出資を受けると、株を渡した割合分の取り分が減ります。

30％渡した場合は7000万円の取り分となります。

また、株を渡すとなると経営に対して意見をいう権利を投資家にも渡すことになりますから、自分だけの判断で経営するのが難しくなることも覚えておきましょう。

ちなみに投資家に株を何％渡すかは交渉となるため、特に決まりがあるわけではありません。

過半数の株を渡すと支配権が投資家に移りますし、約34％以上の株を渡すと自分の計画が通りにくくなります。

図7　持ち株比率別の権利

持ち株比率	株主の権利
1株以上	・議事録閲覧権 ・株主代表訴訟
1%	・株主総会における議案提出権
3%以上	・株主総会の招集 ・会社帳簿等、資料の閲覧ができる
33.4%（1/3）以上	・特別決議を単独で阻止することが可能
50.1%（1/2）以上	・株主総会の普通決議ができる ・役員の変更、剰余金の配当などの事柄を単独で可決できる
66.7%（2/3）以上	・株主総会の特別決議ができる ・取締役の解任、定款変更、合併や解散など会社経営に関する重要な事柄を単独で可決できる
100%	・すべて自分の意志で決定することができる

持ち株比率に関してはきちんと考えるべきです。

また、銀行融資の場合は株を渡すわけではないので１００％まるまる自分の取り分となります。

資金が必要な場合はどちらの手段にするかデメリットも考えて選択をしましょう。

黒字社長のルール 14

「融資を受ける」と「投資を受ける」。メリット・デメリットをしっかりと理解した上で自社にとっての最善を選択するのが社長の仕事。

最新のクラウドファンディングの状況

売上と認知を上げる戦略として「クラウドファンディング」が注目されつつあります。

クラウドファンディングとは、起案者が起案したプロジェクトに対して支援者がお金を支援し、支援者はそのリターンとして、商品やサービスを得ることができる仕組みのことです。

クラウドファンディングには他にも融資型や株式投資型など様々な形式があります。

その中でも起業したての頃は一般的な購入型クラウドファンディングを利用することをおすすめします。

クラウドファンディングでは自分のサービスや商品をプロジェクトとして宣伝することができます。

また、クラウドファンディングで有名なサイトの「Makuake（マクアケ）」や「CAMPFIRE（キャンプファイヤー）」などのプラットフォームを利用することで、そのプラットフォームをチェックしている多くの支援者の目にとまり、さらに商品やサービスが社会的意義がある、または使ってみたいと思うサービスであれば多くの支援額が集まります。

スタートアップにとっては、認知も売上も上がるので一石二鳥なサービスです。

僕のまわりでも、お米の値段が下がりつつあり米農家が苦しんでいる背景から、その米を使って、身体によいシリカを含んだ米粉のサプリメントを開発した会社が、米を農協よりも高く購入し米農家を救うストーリーを交えながら自社のサプリメントをクラウドファンディングで出す準備をしていますが、このような社会的意義のあるストーリーはウケがよいかと思います。

クラウドファンディングサービスが始まってから根強く支援額が多く集まるものとして、**会員制レストランや今までにない新規性のある商品が強い**です。

ものによっては数千万から1億円程度の支援額が集まっています。

さらに、最近目立つのは応援をテーマにしたクラウドファンディングです。

商品やサービスそのものを出すのではなく、出版記念としてクラウドファンディングを実施するパターンが増えてきています。

図8　一般的なクラウドファンディングの仕組み

クラウドファンディングとは

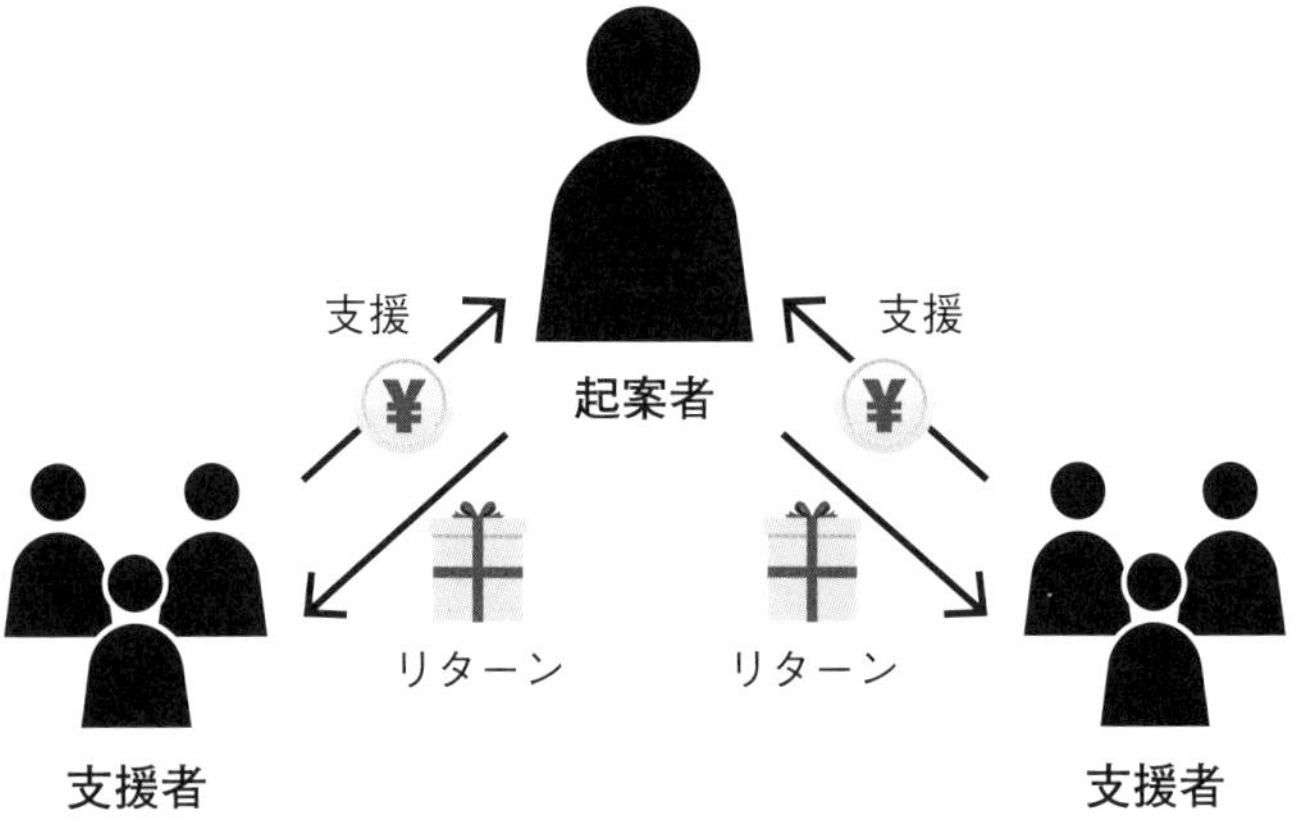

クラウドファンディング（crowd funding）
「群衆（クラウド）」と「資金調達（ファンディング）」を組み合わせた造語
インターネットなどで不特定多数の人や企業、団体から資金調達などを行うこと

出版して、その本を多くの人に届けたいので宣伝費を集めているという形なのですが、このクラウドファンディングは想像以上にウケています。

ある女性はこの出版応援クラウドファンディングで1億2000万円を集めることに成功しましたし、ある男性も同じ形で5000万円を集めています。

この戦略を見ていると、元々のサービスのファンの方が火付け役となり、ある意味お祭り騒ぎを起こしている感じがしました。

この戦略だけではなく、まだまだ様々な戦略が出てきて市場が拡がりそうですので、資金調達の一つとしてウオッチしておく必要があるかと思います。

黒字社長のルール⑮

クラウドファンディングの活用は今や立派な資金調達戦略の一つ。自社のPRと資金を一緒に獲得しよう。

第3章

マネジメントと人材活用のルール

会社を安定的に黒字化にしていくためには、資金調達の次は人材を強化する必要があります。

社長一人だけですべての業務を回すのはさすがに無理が生じますので、資金調達の目処が付いたら社員募集をしていきましょう。

しかし、実際に社員募集のために求人広告を利用してもなかなか求人が集まらず悩んでいる会社もあります。

この章を熟読し、その原因をしっかり理解し問題点を改善していきましょう。

なぜ人材が集まらないのか？

そもそも人材が集まる会社と集まらない会社の差はどんなところにあるのでしょうか？

その差の一つが「知名度の差」になります。

世の中の知名度があるだけで求人は面白いほど集まります。

例を一つ挙げると、僕が経営していた会社がパートを雇いたくて新聞の折り込みチラシにある求人募集に掲載をしたことがありました。

営業の方は「おすすめの枠は10名程度応募がきますが、一番安い枠だと3名くればよいほうです」と話していましたが、僕は一番安い枠を選択して広告を出しました。

結果はなんと１００名以上の応募がきたのです。

なぜこのような結果になったのでしょうか。

それは、この会社はテレビＣＭを1年以上放映し、さらにメディアにもよく取り上げられており、知名度が高かったからです。

求人を本気で探している人は広告枠が大きい、小さいは関係なく、すべての内容に目を通します。

その中で気になった会社を自分が知っているところから順番に申し込むのです。

この傾向を知っていれば、**求人枠に多額のお金を使うのではなく、知名度を上げるためにお金を使う必要があることがわかる**かと思います。

知名度をどのように上げるかは第4章で解説しますが、ここではまず、知名度が重要だということを認識しておきましょう。

SNSを活用する

年齢層の若い人を採用したいのであれば、SNSに力を入れるのも重要です。

ネットをうまく利用できていない会社はやはり求人が弱い傾向があります。

例えば、ホームページですら「NEWS」の更新が1年前以上何も更新されてない会社などは要注意です。せめて会社の情報くらいは常に更新しておきましょう。

さて、ホームページは当たり前として最近ではTikTokでの集客が主流となってきています。

TikTokは1年前は10代を中心としたメディアでしたが、最近では30代の多くも視聴するメディアとなっており、今後も市場が拡大していくと予想されています。

実際にTikTokを利用した求人コンサルティングの会社が増加しており、月30万〜50万円程度の費用でサービスを展開しています。

今後はTikTokとメディアを絡めた新サービスもリリースされると予想されており、僕の出資している会社もTikTokとYouTubeとテレビCMを掛け合わせて認知度を上げて人材確保と売上アップのどちらにもコミットするサービスを展開していますが、問い合わせが殺到しています。

求人の応募を改善したいなら、SNSをどう使うかは検討したほうがよいでしょう。

求人の条件が重要

求人の応募がこない会社はそもそもまわりの会社の条件と比べて負けている可能性もあ

ります。

これもよくある話ですが、自分ではこのくらいの条件で大丈夫だろうと思ってしまい、ライバル会社の条件をきちんと確認していない社長も一定数います。

今はインフレの関係もあり、給与水準も昔より上がっています。

働き方改革により週休3日をよしとする会社も出てきましたし、副業を可能とする大企業も出てきました。

このあたりの時代背景を認識せずに求人募集をしてもやはり結果は出ません。

そこは企業努力が必要です。

また、条件をしっかり明記しないために応募がこない例もあります。

これは以前頼まれたある県の求人の話ですが、県の一部の地域で町おこしをしてシャッター街となってしまった商店街を復活させたいという依頼でした。

県の予算をかけて求人募集をしましたが、さっぱり人が集まらず困って当社に依頼がきたのです。

僕はまず求人の条件を確認したのですが、給与面や待遇は申し分ありませんでしたが、なぜ応募がこないかはすぐにわかりました。

それは、応募条件が「シャッター街を救える方募集」となっていたからです。どういうことかといえば、「シャッター街を救える」という基準が曖昧すぎて応募しにくいということです。

条件をより詳しく限定して、「シャッター街の1店舗を運営して黒字化できる方を募集」とか、さらに詳しく「売上100万円をつくれる方募集」など成功の基準を明確にすれば、自分でもできるかもと考えてくれる方も出てくるでしょう。

実際に条件をできる限り明確にし、さらに飲食店やアパレルや美容などいろいろな業種に向けてそれぞれ求人をした結果、かなりの応募をとることができ、今ではシャッター街の面影すらなくなりました。

求人条件がまわりの企業に負けていないなら、求人内容を明確化することをおすすめします。

地方をせめる

あなたの会社が関東圏、特に東京にあるなら地方から求人募集をするという方法もあります。

僕のクライアントで売上300億円を9年で創った社長は、売上数億円の頃から求人募集を地方でかけていました。

「なぜわざわざ地方で?」と思われる方も多いかと思いますが、結論からいうと地方から東京にくる方のほうが真面目でよく働く割合が圧倒的に高いからだそうです。

関東在住の方を採用すると、仮に会社がつらいと思うとまわりの友人と遊んだりといった逃げ道が多くあります。

また関東圏には会社もあふれていますので、別の会社の選択肢もあるとすぐに転職してしまう方もいます。

一方、地方在住の方は東京の情報をそれほど知らないですし、まわりに友人もいません。

その意味では仕事に没頭できる環境が揃っているといえます。

求人の条件として社宅を用意しておけば、より会社への忠誠心も強くなります。

この戦略をクライアントの社長は長年ずっと実行しており、今では役員はすべて地方から東京に出てきてずっと働いてきた社員だけになりました。

少し方向を間違えるとブラック企業になる恐れもありますが、会社を強くするための求人方法としては個性的でよく練られた方法かと思い、紹介しました。

黒字社長のルール16

あなたと同じように「知らないもの」に人は集まってこない。経営と同じく人材確保もしっかりと戦略を立てて取り組むべし。

中途人材の境遇と心理をつかむ

求人広告を活用すると、最近では特に年配の方からの応募が多い印象があります。

もちろん新卒採用は大企業の多くが一斉に募集しており、新卒だけが利用できるプラチナチケットといわれていますから、中小企業の求人には新卒の応募が少ないのは仕方がありません。

特に日本では、大企業からベンチャー企業への転職はよく見かけますが、ベンチャー企業から大企業への転職は相当優秀な人以外はほとんど見かけません。

その意味でも新卒ならば一度は大企業に就職して勉強するのは有意義な気がします。

そんな市況の中、中小企業に応募をする中途の方はどんな方なのでしょうか。

社長の目利きが会社を成長させますので、様々なパターンを頭に入れておきましょう。

まず、中途採用に応募してくる方で50歳以上の方は、よく吟味する必要があります。

基本的に50歳以上の方はよほどの実績がある方を除くと転職市場では人気がなく、転職活動に苦戦しています（図9参照）。

転職活動にはエージェントという転職を斡旋するチームがあるのですが、彼らは人気があり年収が高くても採用される人材を担当できるように動いています。

彼らは会社に人材を紹介し、その人材の年収の20～30％の手数料を利益としているからです。エージェントがつくパターンとしては、大企業を早期退職された方やベンチャー企業の役員でエグジットされた方などが多いです。

逆に中小企業でリストラされた方や解雇された方、転職回数がやたらと多い方は採用される確率が低いため相手にしません。

その意味で、**「50歳以上でエージェントがついていなく、自ら応募をしてくる方」は確率的に会社の理想とマッチしない可能性が高い**のです。

50歳を超えていて社会経験が長く、一見すると素晴らしい人材のように見えますし、そのように演じることができる方もいます。

短時間でその人の本質を見抜くのは、社会経験が浅い社長では難しいと思います。

もちろん、人材としてぜひ入社してほしい方もいますが、まずは背景をよく理解して見極めるようにしてください。

図9　中途採用で対象となる年齢層

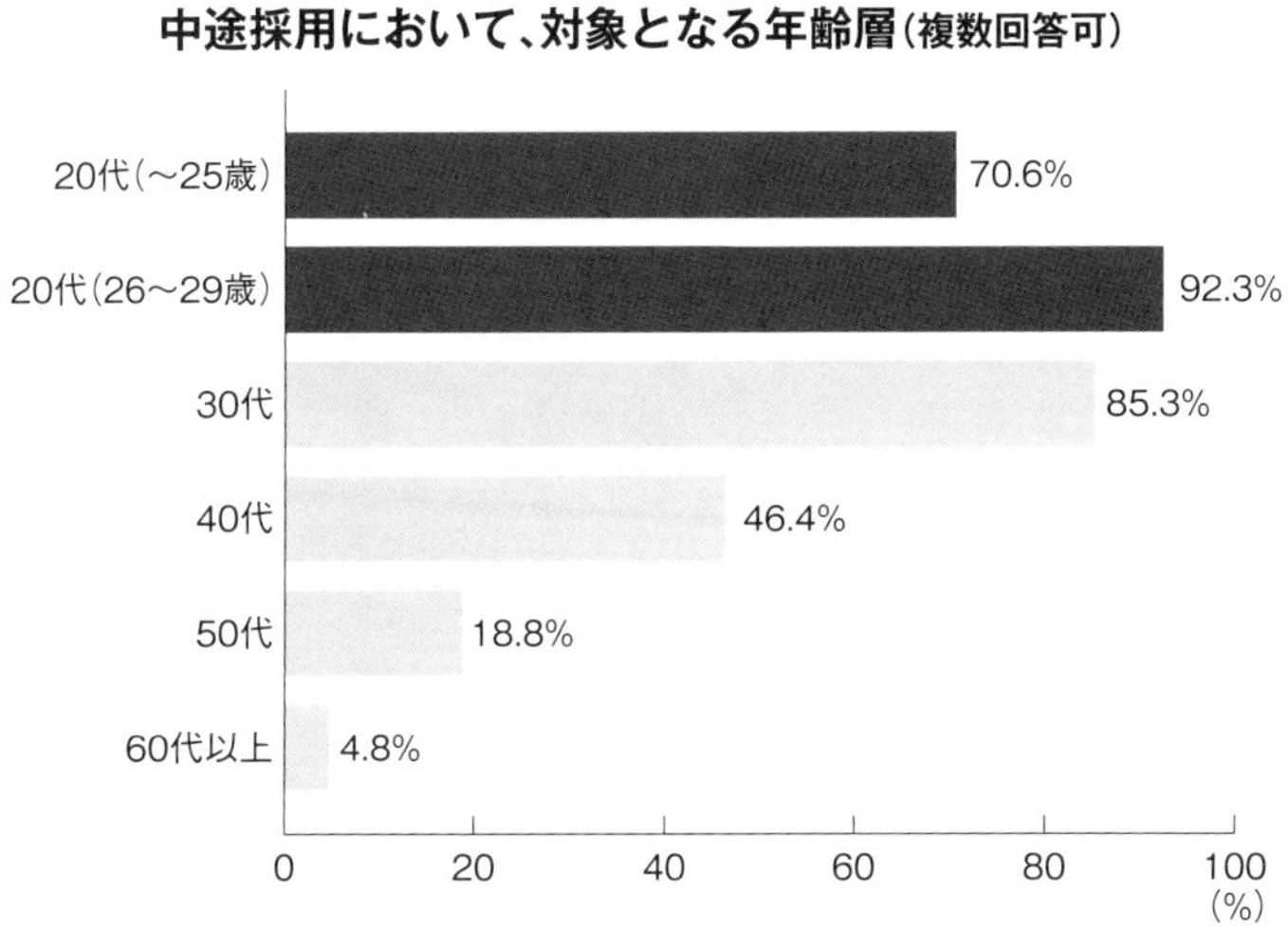

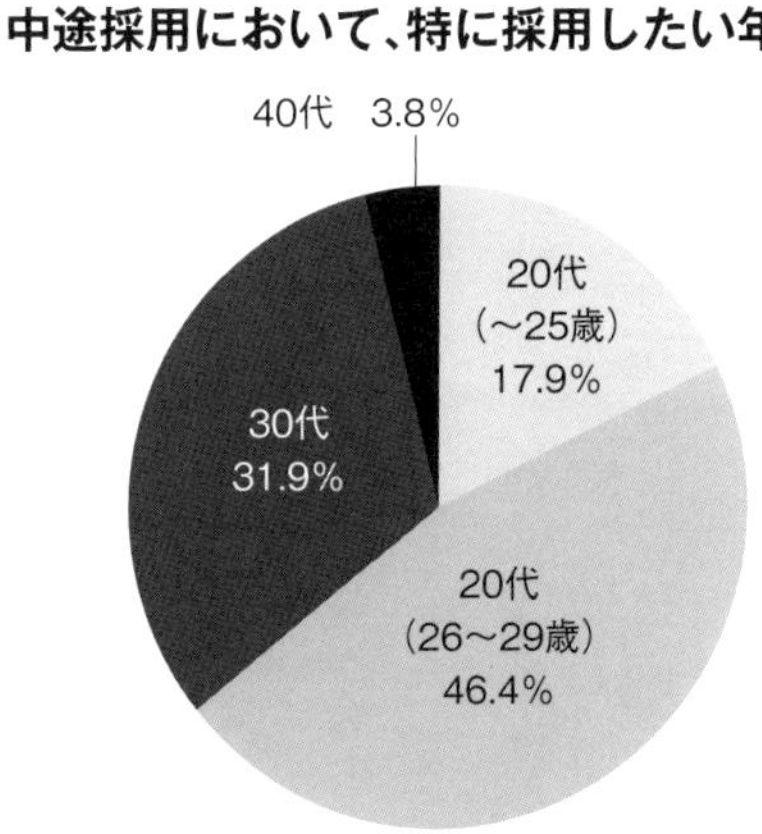

出典:株式会社学情『中途採用における採用対象』

基本的にエージェントを通して採用したほうがリスクを抑えた採用が可能ですが、エージェントを通していても良い方がすぐに見つかるわけではありません。

また手数料もバカにはなりませんので、予算との兼ね合いも重要となります。

いろいろと検討して自社での直接採用を選択する場合は、転職理由から判断することが大切です。

転職希望の方は、前職を辞めた理由があるかと思いますが、「会社の雰囲気が合わない」「会社の役員が無能で活躍できない」といった方はあまり好ましくありません。

また、「新しい何かをしたい」という方も若い方なら理解できますが、30歳を超えて自分の積み重ねたものを発揮できずに新たに学びにきたなら会社は学校ではありませんのでやめておきましょう。

経験上、転職採用でうまくいったケースは「給与」で問題があったケースです。

前職ではどんなに売上を上げても給与がさほど上がらずに、これでは将来が心配で転職をしたいという方は当たりかもしれません。

またそのような方で前職が同業に近い職種の場合は活躍してくれる可能性が高いです。

以前経営していた会社でも、同業の会社の経営が傾き、将来を考えて当社に応募してきた方が数名いました。

面接も同業だけあって、何をどこまでできるのかは数回の質問ですぐ理解できましたので、これはチャンスだと思い全員を採用しました。

彼らが入社してすぐ即戦力として活躍してくれ、数億円以上も売上を伸ばしてくれたので本当に良い採用ができたと思っています。

これは、同業の経営が弱っているときによく起きる話で、僕の会社だけではなく、クライアントの会社でも同様なことが起きていますので、同業の状況は常にウオッチしておくとよいでしょう。

中途採用の働き方

中途採用をした優秀な社員が働きやすい環境を整備しておかないと、能力を発揮できない場合もあります。

中途の社員は、早く自分のポジションを確立しようと躍起になっていることが多いです。

例えば、部署を任せたら、部下に結果を出させるために厳しく指導をしたり、自分でも結果を出すために遅くまで残業したりもします。

これで結果が出るならよいのですが、結果が出ないと会社全体の雰囲気も悪くなりますので、**中途採用をしたら、会社のルールや文化を擦り合わせる時間を必ずとるようにしましょう。**優秀だから丸投げして大丈夫だろうと判断してしまうと、さすがにどんな優秀な方でも迷ってしまいます。

僕がコンサルティングに入った現場では、優秀と思った中途採用の方が機能していないパターンはこのパターンがほとんどでした。

社長自らが指揮を執り、まずは働きやすい環境を整えるようにしましょう。

黒字社長のルール17

即戦力の中途採用で失敗しない選び方、「給与がもの足りないから転職したい」は入社後に活躍してくれる可能性が高い。

売上を伸ばす「スーパー人材」の採用

会社の売上を10億円以上にするためには、単なる人材ではなく「スーパー人材」が必要になります。

僕や僕のクライアントも今まで数十億円くらいの売上をつくった会社は例外なくこのスーパー人材を採用していました。

一気に会社を成長させたいなら、スーパー人材の採用も検討してみましょう。

スーパー人材とは

そもそもスーパー人材とはどのような人でしょうか。これはいくつか定義があります。

スーパー人材とは、最初は大手企業で働いており、100億円規模のプロジェクトのリーダーを経験している方、そして転職経験がありベンチャー企業を経験している方をスーパー人材と僕は呼んでいます。

要するに、大きなプロジェクトを責任を持って担った経験があり、大企業だけではなくベンチャー企業での仕事の仕方も理解している方が、会社の売上を伸ばしてくれる可能性を高く持っているということです。

年齢でいうと30代後半から40代の方が多く、年収でいうと1000万〜1500万円くらいのレイヤーとなるかと思います。

このような経歴の方が会社にジョインすると、会社に2つの大きな変化が起きます。

まず1つ目は、**家族経営でなあなあな経営を大企業のような組織経営に変えようとしてくれます。**

今までは古株の人も居心地が良い会社となっていましたが、スーパー人材はそれを良しとしません。

例えば、古株が失敗をして取引先を失ってしまった場合、今までは社長も仕方ない、次に頑張ろうと流していましたが、失敗をした方はきちんとしたペナルティが必要だとするのがスーパー人材です。

遅刻や特に理由のない直帰なども許しません。

きちんと会社のルールにのっとり、褒めるときは褒めて、叱るときは誰であろうと叱る信賞必罰が透明性のある組織経営には必要で、このルールが機能していない会社は家族経営を脱却することができません。

これは会社を上場する場合やM&Aをするなど、会社をエグジットするときにも重要な要素です。組織経営に移行できれば、さらに優秀な社員も集まりやすく売上も上がりやすいのは間違いありません。

もちろん圧倒的に社長がカリスマでありワンマン経営でも数十億円くらいはいく場合もありますが、きちんとした組織をつくりたいならばスーパー人材ときちんと進めていくのがよいでしょう。

2つ目は**アライアンスなど、大企業と連携した戦略を実施してくれます。**

アライアンスについては第5章で詳しく説明しますが、スーパー人材は前職の大企業との繋がりを使って御社のサービスを大企業と連携させてさらに大きくしようと注力してくれます。

スーパー人材との面接をするときに気づくと思いますが、彼らは指示待ち人間ではありません。

あなたの会社でやりたいことがあり入社を検討しており、そのやりたいことを面接内でプレゼンしてくることも多いです。

おそらく数億円規模の売上の会社の面接では見かけない光景かと思いますが、彼らには会社を大きくする意思もあり自信もあるのです。

器の小さい社長ではハンドリングできないこともありますので、採用には社長の覚悟も必要となる人材です。

スーパー人材の採用方法

このようなスーパー人材を採用するには、ヘッドハンティング会社を使うことが多いです。

好条件に特化したエージェント会社でも構いません。

人材自体は探せば見つかるのですが、転職してくれるかどうかはその会社次第です。

彼らも転職には人生がかかっていますので、高年収がもらえれば来るかというとそうはなりません。

やはり所属する会社の将来性やその会社の魅力で判断します。
その意味でも会社のＰＲやブランディングはきちんと設計しておく必要があるのです。

黒字社長のルール 18

運良く「スーパー人材」を採用することができれば、組織改革・大企業との提携が期待できる。自社の良さをしっかり理解してもらい必ず確保しよう。

社員評価の低い部下をどう扱うか

世の中の法則で「262の法則」、別名「働きアリの法則」というものがあります。

この法則は、組織においては優秀な2割の人材が全体の成果の大部分を担っており、平均的な6割の人材は優秀な2割の支援を受けながら働き、下位2割の人材は能力が低く組織の足を引っ張る可能性があるというものです。

これは組織で動く以上常にこの法則が当てはまり、仮に能力の低い2割を排除しても残りの組織で結局また「262」に分れてしまうので、単純に能力の低い人を排除するだけでは意味がありません。

では、強い組織をつくるにはどうすればよいのでしょうか？

一つの方法としては、前述した**適材適所を社長が見つけ出してあげる**というものです。

全体的に能力が足りない社員でも、何か一つ優れたものがあればそこに注力させることで力を発揮する可能性を上げることができます。

貢献と責任感

どうしても優れた何かを見つけられない社員には、一緒に目標を設定し、本人が会社に貢献できているのかを自覚させることも必要です。

基本的に会社は運営するだけで、社会保険や税金など様々な経費がかかります。**一人の社員を雇って育てるのにも間接経費がかかるため、会社が利益を出すためには社員の給与の最低3倍は売上をつくらなければなりません。**

社長や管理職は、会社に利益を残すために自分が売上をつくるのは当然として、それ以外に一生懸命自社の社員を育てる必要があります。

その育成ができなければ会社が傾いてしまい、最悪倒産してしまいます。

社員育成がうまくいかない要因として、ほとんどの社員は「自分は一生懸命仕事をしている」と考えているのですが、自分がしている仕事が会社に貢献できているのか、どのくらいの価値があるのかを理解していないため、会社と社員での間に認識の錯誤がうまれているからです。

錯誤をなくすには、会社にとってメリットがあるラインをしっかりと社員本人と話し、真剣に会社に向き合ってもらうようフォローすることが必要です。

例えば、営業職なら前述した自分の給与の3倍の売上をつくらないと会社としてのメリットがないことをきちんと理解してもらい、それを達成できるように社長や管理職が社員の育成プランを実施していくことが大事ですし、総務の仕事なら、最近では月10万円で経理からスケジュール管理や事務職を代行してくれる業務委託のサービスが成長していることを自覚させて、業務委託よりも自分の仕事の価値を上げるように促すことも大事な社長の仕事の一つです。

優秀な2割の社員と同じチームにして、何が自分に足りないのか、どうすれば結果がついてくるのかを本人に意識させることも効果的です。

中には、コロナ禍の影響でリモートワークも浸透してきたことにより自分でスケジュールを組んで仕事をしたいという方も出てくるかもしれません。

そのような人もお互いに納得のいく目標設定を決めて、自分の責任で働かせてみるのもよいかと思います。

目標を達成できれば会社のメリットになりますし、達成できなければ、管理下に戻すだけです。

「262の法則」が不変であるなら、能力が足りない2割をいかに底上げするのかが組織を強くするポイントで、そのためには社長が社員を過保護に育てるのではなく、社員一人一人が自分の仕事に責任を持てるように促すことが何より大切なのです。

解雇という選択肢

「262の法則」が示すように、能力が足りない社員は、どんなに時間をかけて育成しようとしても難しい場合もあります。

本人は一生懸命仕事に取り組んでいても結果が出せないことも残念ながらどうしてもあります。

会社も慈善事業ではありませんので、社長はある程度の見切りをつけるのも仕事の一つです。

このように書くと誤解をうむかもしれませんが、実際にこの会社で能力が足りないと判断された社員も、別の場所に移ると生き生きと働き始めるという場合が数多くあります。

要するに職場が合わないだけの可能性が高いので、社長にとっても社員にとってもこの決断事態が良い方向に繋がることもあるのです（会社側の力不足も否めませんが）。

このようなケースなら良いのですが、頑なに会社にしがみつく社員もいます。

今の日本は労働者の権利が強く、それを逆手にとって解雇を拒否しようとする社員も存在します。

会社としては、その社員がいるだけでまわりに悪影響を与えてしまっているところまできており、なんとか穏便に辞めてもらいたいと考えていますが、なかなか辞めない状況というのは、おそらく社員数30名以上の会社だと経験している社長は多いのではないでしょうか。

「解雇」というと聞こえは悪いですが、社長としてはまずは会社全体を守る義務がありますので、法律上問題なければ毅然とした対応が必要です。

顧問先でもこの手の問題を相談されますが、僕も自社で解雇をしたこともありますし、**先延ばしにすることで会社全体に悪影響を及ぼすリスクを考えるなら決断すべき**だと話しています。

ただし、重要なのは法律的な手順をきちんと踏むということです。労働関係に強い弁護士や社労士の指示のもと対応しないと、後々裁判でもめることになりかねませんので、ここは慎重に対応しましょう。

黒字社長のルール19

いつの時代も社長最大の悩み「残念な社員の取り扱い」。「一生懸命働いている」ではなく「○○をしてもらう」と具体的に示して齟齬をなくしていく。

社員の時間効率を向上させるには？

社員間でも仕事の効率がよくスピードも速い人と仕事の効率が悪く遅い人のどちらかに分かれます。その場合、社長としてあなたはどのようにフォローしていますか？

スピードに関しては慣れも必要ですが、効率に関しては誰もが習得できる技術であり、教えることができます。

例えば、仕事の効率がよい人は1日に様々な仕事をこなします。まるで、この時間は将棋、次はオセロ……のように毎時間違うゲームに頭を切り替えて仕事をしています。

一方効率が悪い人は、一つの仕事につまずくとなかなか仕事がはかどらず残業してなんとかその仕事を終わらそうとする傾向があります。

そして、他の仕事になかなか手が回らず仕事が山積みとなってしまいます。

なぜこんな差がうまれるかというと、それは**効率のよい人は義務教育で習ったシステムをうまく使っているから**です。

小学校や中学校を思い出してみてください。授業が1時限から6時限まであったと思います。ほとんどの場合、毎時間違う教科の授業で時間割が構成されていませんでしたか？

効率のよい人はまさにこの時間割に沿って仕事をしているのです。

1時限目にプレゼン資料を作り、2時限目に打ち合わせ、3時限目は新規事業の作成というふうに時間を区切って仕事をしています。人間の集中力はせいぜい90分程度しか続かないというデータもあるため、義務教育では教科を50～60分ごとに変えて、集中力をコントロールしているのですが、まさにその習ったことを実践しているのです。

基本的に効率が悪い人は、この教えを忘れ、一つのことにかなりの時間を費やしてしまうため集中力がもたずに無駄な時間を費やしてしまっているのです。

社員をよく観察してみて、当てはまりそうな社員を見たらきちんと教育をしてあげると劇的に変わると思います。

スピードが遅い場合は？

効率的に仕事ができるようになっても、まだ仕事が遅い場合はどうすればよいのでしょうか。例えば、プログラミングのコードを覚えるのが人よりも倍の時間がかかるとか一般的にスピードが遅い場合はどうすればよいのでしょうか。

結論からいえば、このスピードの遅さは全く問題ありません。プログラミングでいえば、最後まで学べることが重要であり、人より遅くなっても、脱落する方が多い世界ですからマスターできるならむしろ優秀です。

効率の考え方が間違っていないのであれば、あとは愚直に努力できるのであればそのまま突き進むように促せばよいのです。

このような真面目な社員は必ず会社の役に立つ重要な人材になるでしょう。

黒字社長のルール 20

できる社員は「授業時間を目安」に仕事をしている。仕事のスピードが遅いことを責めてはいけない。まずは「努力している」かどうかを見るのが人材育成の第一歩。

オンライン勤務とオフライン勤務ではどちらが売上が上がるのか？

オンライン勤務とオフライン勤務ではどちらがメリットがあるのか？

コロナ禍の影響により、一気にオンラインでの仕事環境が整いました。

日本は何か特別なイベントがない限り新しいものを試そうとしない国民性ですが、今回もそのイベントによりテレワークといった新しい働き方が受け入れられるようになりました。しかし、企業によっては、せっかく浸透したテレワークを廃止するところも増えてきたようです。理由としては、コミュニケーション不足や会社への帰属意識の低下、人事評価の難しさが挙がっています。

一方でテレワークを廃止することで仕事へのストレスが増えたり、社員のワークライフバランスの両立が厳しくなるなどの影響もあったり、廃止した会社で退職者も増えてきているようです。

実際にオンラインとオフラインの勤務はどちらが会社にメリットがあるのでしょうか。

結論からいうと、**会社の選択としてはオフラインとオンラインの勤務を融合させるのがよい**と思います。

例えば、経理の仕事であれば毎日出社せずとも仕事は回るはずです。

営業の仕事は外回り中心であれば、定例の会議を除けば自分のスケジュールで動くことも可能かと思います。

実際に私のクライアントは大型ビルに会社を構えていましたが、コロナ禍以降オフィスをよりコンパクトなオフィスに移転し、今でもオンラインを中心としたオフラインとオンラインの融合を実現しています。もちろん利益もオフライン中心の以前よりも伸ばしています。

また、オンラインに移行したことで人件費が削減できたという会社もよく聞きます。

というのもオンラインにしたことで、各々がどんな仕事をしているのか、どのくらいの量をこなしているのかがよりはっきりとわかるようになり、本当に仕事ができる人とできない人が一目瞭然になったからです。

今まで、仕事を後輩にムチャぶりして、会議のときにだけ自分の手柄のように話す上司もコロナ禍前はいたようですがオンラインで仕事が透明化すると、今までの仕事ぶりが露

図10 「テレワーク下でのパフォーマンス」の上司・部下の認識の違い

1. あなたは、在宅勤務(テレワーク)をすることによって、在宅勤務(テレワーク)をしていなかった 時と比べてご自身の仕事の生産性に変化がありましたか？
2. 管理職の方(部下がいる方)にお聞きします。部下が在宅勤務(テレワーク)をすることによって、部下の仕事の生産性に変化がありましたか？

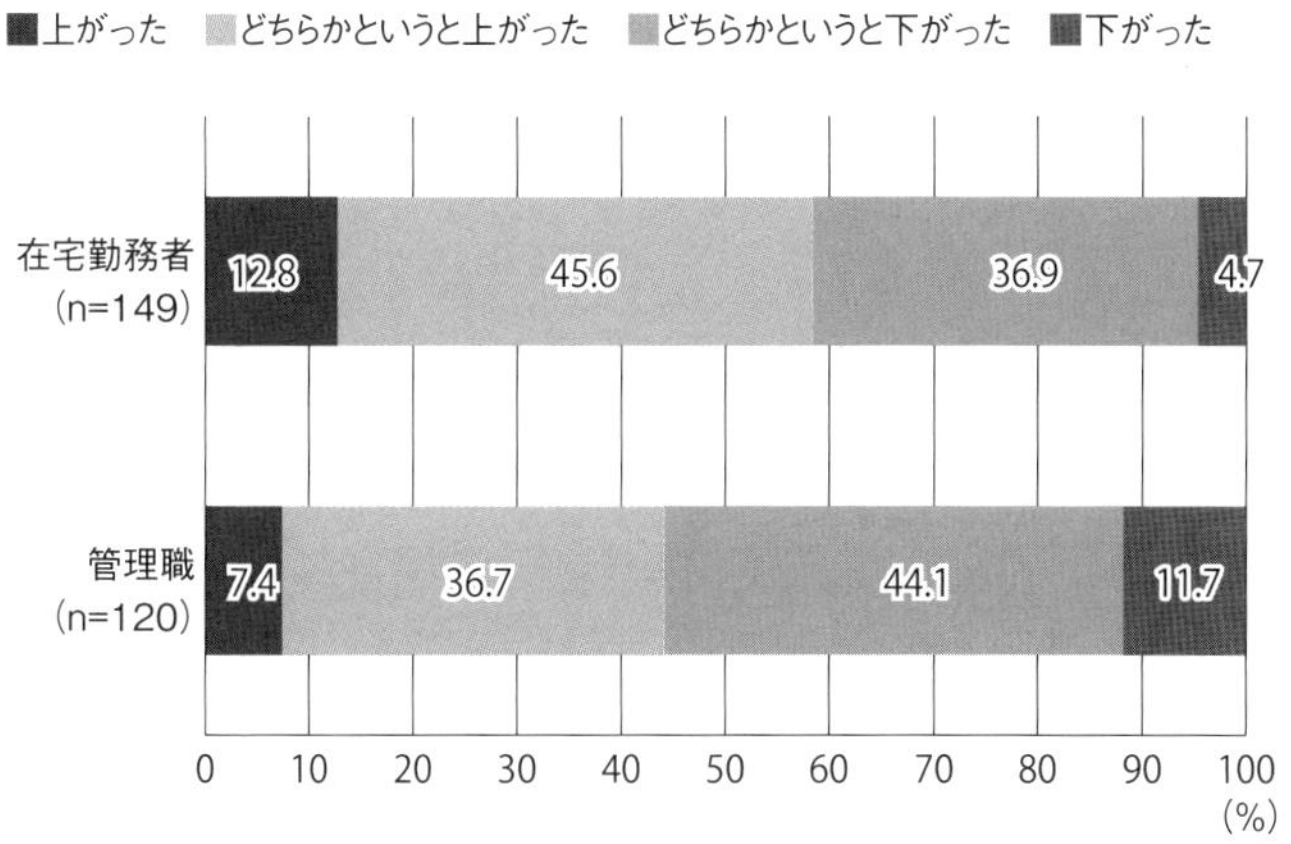

在宅勤務者：在宅勤務(テレワーク)を週に1日以上行う人
管理職：在宅勤務(テレワーク)をしている部下がいる管理職

出典：パーソルプロセス＆テクノロジー株式会社「テレワークに関する意識・実態調査」

呈し、その人がいなくても仕事が回ることがわかるようになりました。

また、いつも忙しそうにしていた人も、オンラインとなり仕事をあらためて棚卸しするとさほど仕事量が多くないこともわかるようになりました。

オフラインではある意味人が多く明確にできなかった部分がオンラインでわかることも多く、今後の働き方としてオンラインとオフラインの融合が会社や社員にとってプラスになると考えています。

黒字社長のルール21

「オンライン勤務かオフライン勤務」問題。正解はハイブリッド運用で社員の働き方の幅を確保すること。

社員モチベーションと市場マーケットの相関関係

社長の仕事として、社員のモチベーション管理はとても大切な仕事の一つです。スタートアップであるなら社長が率先して社員を引っ張り、売上を上げていくことにより、会社の雰囲気をより良くし、一致団結して目標に向かわせることができます。

特に市場が急成長している業種だと会社全体もその波に乗り急成長することもあるため、社員のモチベーションはほっておいてもどんどん上がっていきます。

まだサブスクリプション（サブスク）が日本で一般的になる前から僕が仕掛けていた飲食のサブスクビジネスは、出だしはかなり苦戦をしました。

サブスクが日本に浸透していないこともあり、営業もなかなかうまくいかなかったので社員のモチベーションも低下していました。

しかし、メディアがサブスクを特集し出し、流れが一気に変わりました。

今までとれなかった営業が面白いほどとれるようになり、サブスク市場が最高峰に盛り上がってきた瞬間に、信じられないくらいの売上を達成し、会社の雰囲気も社員のモチベーションも最高潮になったのです。

このパターンはどの業種にもあり得ます。

例えばコロナ禍のときは今まで見向きもされなかった監視カメラが、自宅に籠《こも》る方が増えて市場が拡大し飛ぶように売れました。

今だとChatGPTなどのＡＩ関係の業種は市場がどんどん拡大していますので売上もかなり成長しているでしょう。

このあたりを取り込んでおこうという感覚は社長として必要です。

社員モチベーションを上げるには社長の頑張りも当然ありますが、市場の盛り上がりにも比例するのです。

一方で成熟産業にいる中小企業は、違う目線でのモチベーション管理が必要となります。

スタートアップほど市場が拡大しない業種のため、会社の業績に波があるわけではない場合、**モチベーション管理のためになるべく会社の期待値をあげる施策を考えましょう。**

自分の5年後がどうなっているかを考えたとき、5年先の先輩を見ればわかるとよくいわれていますが、その先輩がくたびれた尊敬できない方だと、本人も希望を持てず会社に期待はできません。

最悪の場合、退職してしまいます。

そうならないように、会社の人事制度を明確にし、出世するための道筋や昇給のための条件、ボーナスのための条件などを透明化し社員全員がチャレンジできるような社員を巻き込んだ制度を作ることをおすすめします。

あるEC通販のクライアントも、社員モチベーションで悩まれていたので、人事制度の透明化を推奨し、実際に実施したところ、社員全員が真剣に働き出すという素晴らしい成果を上げることができました。

特に、この会社では、与えられた広告予算内で自由に広告を出し、売上ノルマを達成した場合、余った広告予算は臨時ボーナスとして振り分けるという制度を作ったことが大きな成功でした。

広告費を会社のお金ではなく自分たちのお金と社員が感じ始め、広告をどう打つのかを真剣に議論し、無駄な広告を省き売上も達成するというかなりの成果があった、とのことでした。

マーケットサイズには注意

社員を巻き込んだ施策でモチベーションを上げるのはかなり有効な手段なのですが、**元々のマーケットサイズには気をつけなければなりません。**

例えば、店舗型のビジネスの場合、出世をモチベーションとするといずれ破綻することになります。

店舗での出世は、例えば支店長、マネージャー、サブマネージャー、一般職といった段階があります。

店舗ビジネスの場合、その店舗でのお客の対応人数は町の人口と店舗ターゲット層によって決まります。

人口やターゲット層が多い町では、その町に数店舗つくることができますし、人口やターゲット層が少ない町では1店舗で限界の場合もあります。

店舗を数店舗出しているうちは、社員をどんどん採用して、仕事のレベルによって役職にあてはめていけばよいのですが、店舗が数十店舗以上展開すると頭を悩ませる事態になることがあります。

それは、**社員のモチベーションを上げるための出世システムが破綻するから**です。

例えば、支店長が優秀で、すぐ下のマネージャーも優秀な場合、マネージャーを支店長に上げることができません。

支店長に不備がなければ降格はさせられず、仮に降格させてしまうとマネージャーとの軋轢をうんでしまいます。

とはいえ、マネージャーをずっとマネージャーのままにしてしまうと不満がたまってしまいモチベーションも下がるでしょう。

この解決策は、新しい店を出してマネージャーを支店長に抜擢することなのですが、店舗を出せる立地があればよいのですが、すでにかなりの店舗数を展開していると、市場の需要をすでに満たしてしまっている場合もあり、新店舗の売上は期待できない可能性があります。

この状況になるとすべての店舗のマネージャーやサブマネージャーからも不平不満が出始めることもあり、会社全体の雰囲気が悪くなりやすいのです。

この状況を打破するには、新しいビジネスを始めて社員のポジションをつくる、または

M&Aで会社を買って社員のポジションをつくるなどの戦略もありますが、なかなか大変なのは間違いありません。

マーケットサイズを確認し、事前に対策を考えておきましょう。

黒字社長のルール22

社員のモチベーションアップ（キープ）は社長の必須の仕事。「評価の透明化」と「社員全員がチャレンジできる環境づくり」を基本に常識にとらわれない方法を常に模索する。

「伸びる企業」の人事制度

黒字化して成長している会社は、ほとんどの社員が生き生きと働いています。この要因の一つは、**社員が納得できるきちんとした人事制度があるから**です。社員が働かない会社は、人事管理を思いつきや社長の好みで場当たり的に行っているケースが多いです。

これでは社員が自分の会社での将来プランがつくりにくく、真剣に働こうとはしません。

人事制度とは、社員の所属価値の向上や社員の帰属意識を高めるために、全体として一貫性のある人事制度を計画的に実施していくことが重要なのです。

成功する人事制度

僕が経営する会社は、「360度評価」を採用しています。360度評価とは、上司が部下を評価するだけではなく、同僚や部下からも評価を受けるという人事制度です。

当社では、毎年1回昇格するためのプレゼンを開催しているのですが、そのプレゼンに出るためには、**上司の推薦だけではなく同僚や部下の評価が一定以上ないと参加資格がないという条件を付けています。**

この人事制度を採用したことにより、昇格するためには自分だけが仕事ができればいいという考えは会社では通用しなくなり、良い上司であり良い部下でもあることが求められます。

パワハラなどハラスメントの抑制になりますし、まわりから評価される社員が育っていくため、会社の雰囲気も非常に良くなりました。

また、最近では老舗企業がＩＴを利用して人事評価を刷新するケースも出てきました。

例えば、日比谷花壇では、新しくキャリア自律を推進することをコンセプトにし、まずは各社員の情報を一元管理してスマホで利用できるシステムを導入し可視化させました。

また、適材適所に配属できるように資格を持つことを条件とし、誰がどの資格を持っているかをシステム内で見られるようにもしています。

これにより、自分がなりたいキャリアに向かって何をすればよいかわかるようになり、社員も迷いなく仕事に打ち込めるようになったそうです。

図11　360度評価とは？

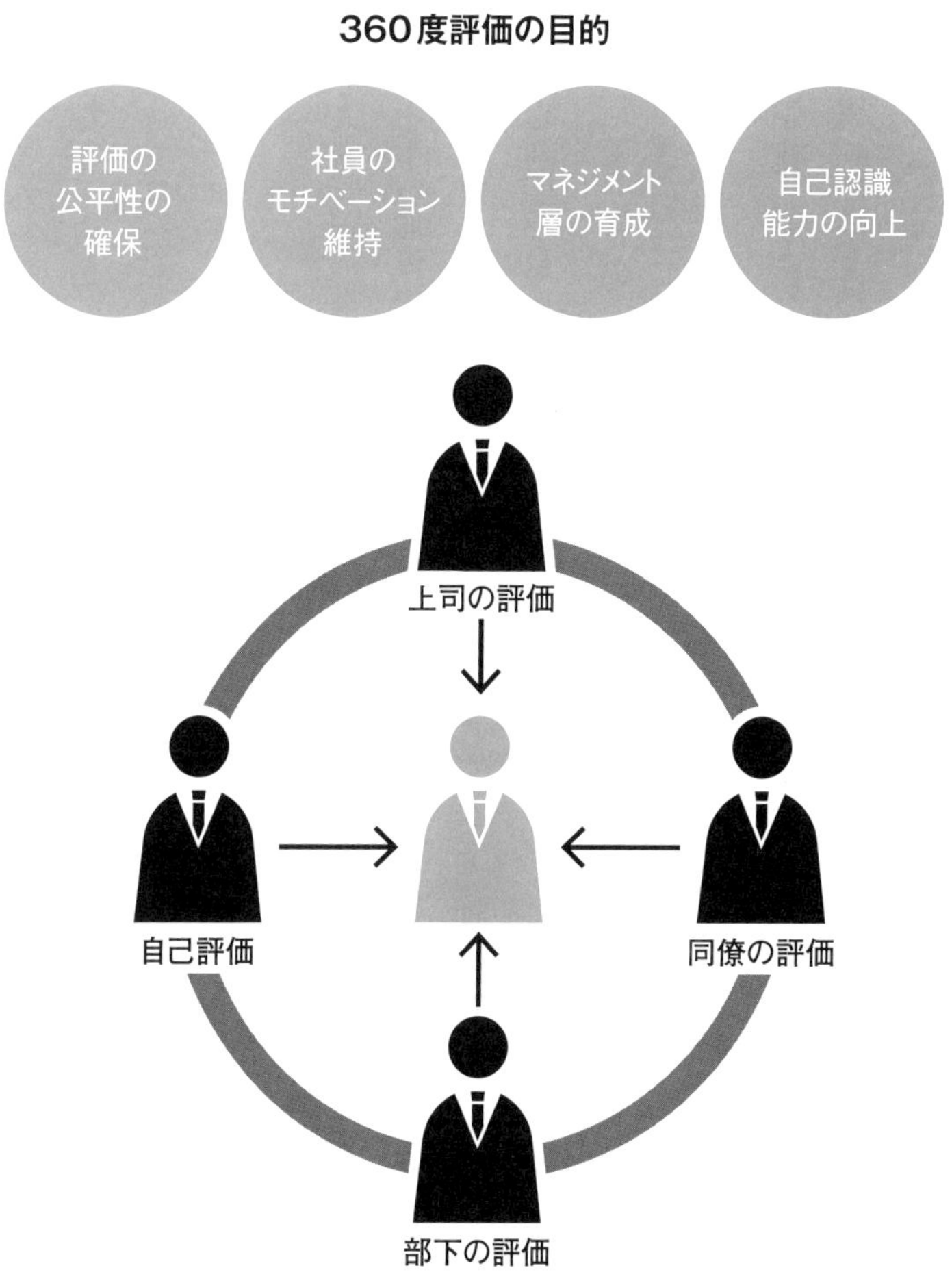

システムを導入し、社員の顔写真やパーソナルな情報も見られるようにしたのも役員が評価しやすくなったと好評のようでした。

人事管理として、社員の情報やどの部署がどんな仕事をしているのか、会社は今どのような状況にあり何を目標にしているのかを知る手段として、社内報を活用している会社もあります。

社内報も人事管理にはかなり役立ってきましたが、令和の時代ではＩＴを駆使し、より社員に使いやすい形にする必要があるようです。

社員が目的を持って生き生きと働ける職場にすることで会社は間違いなく成長しますので、今の人事制度を見直してみましょう。

黒字社長のルール 23

黒字化している会社＝社員が生き生きと働いている会社。社員は人事制度で良くも悪くもなる。

第4章

メディア戦略のルール

この章では売上を伸ばし増収増益していく必要不可欠なメディア戦略について解説をしていきます。

今まで、ＳＮＳやホームページをメディアと勘違いし、広告だけを運用してきた社長は、この章の内容をしっかり把握し実行することで売上は間違いなく伸びるはずです。

「メディア戦略」はなぜ必要なのか？

会社を成長させて売上を伸ばすためにはメディアを利用することが重要です。

よく、「売上は営業が伸ばすものだ」という社長がいます。

ある意味では正解ですが、全員が売上をつくる営業にはなれません。

また、それでは腕の良い営業が辞めてしまえば売上は下がっていってしまいます。

では、優秀な営業だけに頼らず売上をつくるにはどうすればよいのでしょうか？　それは、「誰が営業しても商品が売れる環境をつくること」です。

優秀な営業だから売ることができるという人に依存している環境だと、その人が会社から抜けてしまったら売れなくなってしまいます。

これでは会社は成長しません。

会社を成長させるには、新入社員が営業しても業務委託の方が営業しても、アルバイトが営業しても売れる仕組みをつくることであり、これこそが社長のやるべき仕事です。

そこで、なぜメディアを使うべきかというと、メディアを使うことで信頼をつくることができるからです。

誰でも売れる環境とは、信頼がある会社をつくることであり、その第一歩として会社の知名度を上げることに注力してください。

会社の知名度が上がるとお客様の信頼度が上がるからです。

商品やサービスを見ても、聞いたことのないものだとお客様はほぼ見向きもしません。

一方、聞いたことがある、テレビか何かで見たことがある商品やサービスに関しては、なぜか人は安心感を持ち、話を聞こうという傾向があります。

知名度が上がれば上がるほど、お客様はその会社に安心感を持ち信頼するようになるのです。

例えば、最近では中小企業向けにテレビCMの枠と動画をセットで販売する会社が増えてきました。

これはテレビCMというメディアを使うことで、テレビでCMを打てる規模の会社なのだとお客様に安心感を与えることを第一の目的としています。

当社は、メディアとの関係も深く15年以上前からCMを利用していましたので、様々な会社からの紹介で仕事がくることがよくあります。

しかし、最近では前述通り、この手の会社が増えてきており、レッドオーシャンになりつつあります。

そんな中で大きく成長しているのが、博報堂グループが手掛けている中小企業向けのテレビパッケージです。

値段は決して安いわけでもないですが、博報堂という知名度が高いブランドにより一気にシェアを広げています。

やはりお客様は、聞いたことのないブランドより知っているブランドを選ぶ人がほとんどなのです。

これはどんな商品でも同じです。

これが知名度の効果です。

メディアで知名度を上げる

誰もが自社商品には自信がありますので、必ず売れると思って商品を開発しています。

「弊社の商品は今までの商品とは異なり、無添加で身体に大変良いきのこ粉末を使用しており美容に最適な商品なのできっと売れるはずだ」という感じで、自社商品にむやみに自身を持っている経営者はそれなりにいます。

経営の原理原則を理解していれば、良い商品だから売れるのではなく、良い商品なのは当然で、顧客に認知されているか、知名度がどれくらいあるかで売上が左右されることを知らなければいけません。

そこで、最速で知名度を上げるために一番適しているのが、「メディア」になるのです。

メディアとは？

メディアといえば一般的に、テレビ、新聞、雑誌、ラジオ、ネットニュースなどのことをいいます。

そのメディアをうまく活用して戦略的に自社の商品やサービスの知名度を上げていくのが会社を成長させていく近道です。

「うちは一度テレビに出たことがあるけど、確かに出た当初の反響はすごかったけど、すぐに反響がなくなったよ」と反論される経営者の方にお会いしたことがあります。

そのケースはよくあるのですが、原因としては**たまたまテレビに出ただけであって戦略的にテレビに出たわけではないから**です。

顧客が自社の商品を認識し爆発的に拡がる時点を経済用語で「ティッピングポイント」といいます。

そのポイントに達するまでは「あらゆるメディアで7回お客様と接触する必要がある」とデータに出ています。

つまり、知名度を上げるためにはたまたま一度メディアに出たくらいでは意味がなく、**戦略的に7回以上メディアに出る必要がある**ということです。

やみくもにメディアにアプローチする前に、まずは戦略的手法をマスターしましょう。

メディアへのアプローチ

メディアに何度も出演するためには、メディアにどうアプローチしていくのか、特に順番が重要です。

いきなり全国放送のキー局テレビにアプローチしても相手にされることは稀です。そもそもキー局は認知度が0のものを100にしようとは微塵《みじん》も考えておらず、今まさに一部の人や地域で人気が出てきた「認知度1」のものを100にするのが得意なメディアなのです。

ですからまずは「認知度1」にするためのメディアへのアプローチが最初になります。そのメディアとは「活字系のメディア」になります。

0から1にする戦略として活字メディアにアプローチすることが認知度アップの登竜門となります。

ここでは便宜上「活字メディア」とは、新聞や雑誌やネットニュースのことを指すことにします。

これらにアプローチして記事になれば、自分たちが制作した記事ではなく「第三者が書いた記事」でニュースになりますので、メディア実績となります。

自分たちがつくったホームページやSNSは自分たちで好き勝手に書くことができるためニュースとしての価値はありません。

第三者が書いた記事こそが「ニュース価値がある」と認められるのです。

そのような第三者から自社のサービスがどう見られているのかが書かれた記事を集めることで次のステップに進むことができるのです。

次のステップとしては、「テレビ出演」になるのですが、テレビにどんどん出演するためには、活字メディアでの実績を積み上げることが必要です。

理由としては、テレビの制作の仕方に原因があります。

例えば特番を制作するとき、ディレクターがスタッフに番組の趣旨に合った人を探すように指示を出します。

スタッフの方はさっそく探すのですが、その探し方は主にネットの検索エンジンを利用します。

検索エンジンで候補を数名ピックアップして、次はその候補のメディア実績を調べます。ここで、ホームページやSNSしか情報がない場合、「ニュース価値がない」と判断されて出演を見送られてしまいます（次の候補者に移ります）。

逆に新聞や雑誌など活字メディアでの実績がある方は、ニュース価値があり「テレビに出しても問題ない方だ」と判断されることで、出演が決まりやすいのです。

このような現場の実情がわかれば、「活字メディア」の効力がわかるかと思います。最近では「活字離れ」が進んでいることが事実としてあり、「今さら新聞なんて……」と取材の申し込みを拒否するという社長もいるそうですが、非常にもったいないことです。

「戦略は点ではなく線で考えることで大きな効果を得る」ということをよく考えてみましょう。

黒字社長のルール24

「知名度」こそ最強の武器。すべてを好循環に持っていく知名度を手に入れるための戦略を早急に立案せよ。

「プレスリリース」の基礎知識

さて、活字メディアの有用性を認識してもらった後で、実際に活字メディアに出るための方法を考えてみましょう。

まずは、「プレスリリース」を利用します。

プレスリリースとは、マスコミに自社で作った記事やニュースを流すことで自社を取材してもらうことを目的としています。

マスコミに流したニュースが採用されると、無料でメディアに自社の商品やサービスが取り上げられるため、知名度が上がり、売上もグングン成長します。

プレスリリースを出してマスコミに宣伝してもらう技術を身につければビジネスの成長を加速させることが可能になるため、このやり方をしっかりと身につけましょう。

広告とプレスリリースの違い

まずは、広告との区別を把握しましょう。広告とプレスリリースの違いがわからないままプレスリリースを出してしまうと、マスコミに送っても何も反応がありません。

プレスリリースはマスコミを通して社会へ自分たちのメッセージを届けるツールとして活用されます。

マスコミという第三者の視点で報道されたり記事になったりすることで、視聴者から社会的信頼を得ることができます。

マスコミには毎日何百通のプレスリリースが届きますので、単なる広告だと、情報として価値のないものとしてすぐにゴミ箱行きとなってしまいます。

自分が書いたプレスリリースが自社の宣伝になっている限り、それはニュースではなく広告とみなされるため、メディアにニュースとして取り上げてもらえないのです。

広告とは、自社の一方的な宣伝となっておりニュースとしての信頼度が低いものを指します。

僕に顧問相談にきた方でプレスリリースを何回も出しているのに全くニュースとして扱ってくれないと嘆いている方がいました。

どんなプレスリリースを出しているのかを聞いたところ、自社の人材育成プランが今だけ半額になるというものでした。

この場合、その方が有名人ですでに認知されているサービスならニュース価値が出る可能性はありますが、知られていないならただの広告として判断されてしまいます。

ニュース価値を出すために、例えばその方は元自衛隊の女性の方で20年以上勤めた経歴があるので、その自衛隊という言葉が世間的に信頼されているため、プレスリリースにうまくそのプロフィールを活用することでニュース価値が出るかもしれません。**自分が考えるよりも世間がどう考えるかの視点でプレスリリースを作成しないとニュース価値が出ないのです。**

「満足度98％」「副業でも月収50万円稼げる」といった自社が勝手に書いた数字は信頼度が低いためマスコミが記事にすることはありません。

一方、ニュースとしての信頼性があり、読者や視聴者にとって価値がある情報をプレスリリースできれば、マスコミもこぞって記事にしてくれます。

図12　広告とプレスリリースの違い

広告：直接エンドユーザーにアプローチ

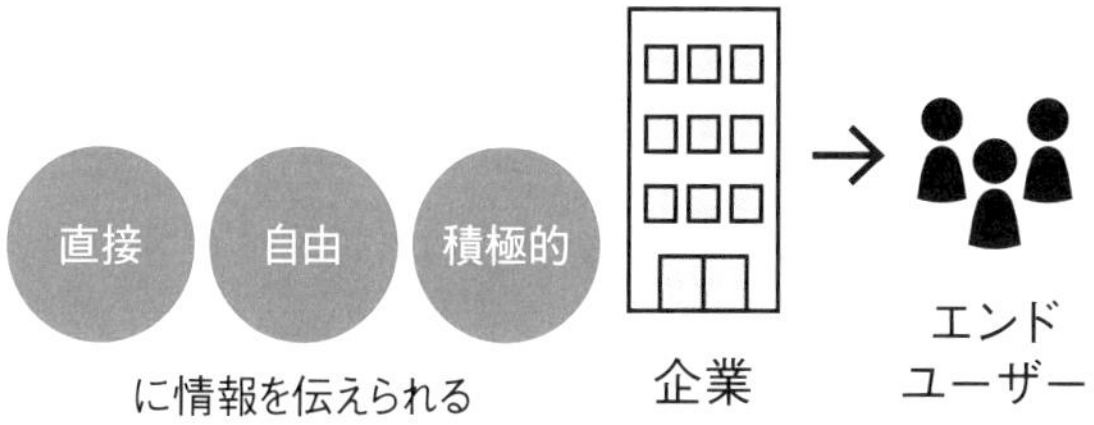

プレスリリース：ニュース等を介してエンドユーザーにアプローチ

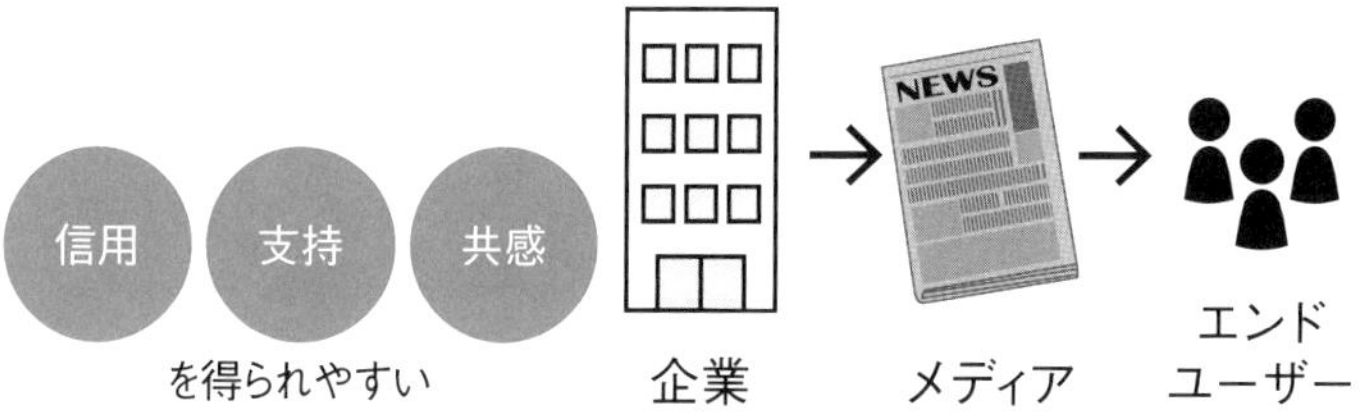

	広告	プレスリリース
方法	広告枠を購入する	メディアに情報提供し、取材を受ける
伝える場所	テレビCM、新聞広告、Web広告など	テレビ番組、新聞記事、Webメディア、SNS、口コミなど
発信者	企業、団体	メディア、生活者
原稿内容	企業、ブランドが伝えたいメッセージを好きなように書く	プレスリリースに基づき紹介される
見え方、信頼度	主観的、信頼度は低い	客観的、信頼度は高い
掲載可否	広告主が選定	メディアがニュース価値で決定
必要なもの	お金	情報、アイデア

プレスリリースの効果とは？

繰り返しになりますが、何かに選ばれるとき「知られている」ということは非常に重要です。

特にメディアやマスコミなどの報道は、「第三者が発信している客観的な情報」として受け止められるので信用性を高く感じさせます。

中でも、新聞は権威のあるメディアと考えられているため、読者が直感的に信用しやすい傾向があります。

ですからプレスリリースを出し、新聞に取り上げられれば、自社の商品やサービスの知名度が上がり信頼性も上がるため売上も上がります。

以前、新聞に取り上げられた化粧品会社は、その新聞を見た雑誌やテレビからの取材でまたも取り上げられ、メディアに出る前の売上の5倍以上の売上を叩き出しました。

プレスリリースから新聞や雑誌に出て、その後テレビに取り上げられ売上が数倍になった例は多くありますので、**会社規模を大きくするためには、積極的にプレスリリースを仕**

掛けるのが良いのです。

プレスリリースを何回出すべきか？

「プレスリリースを出してもなかなか記事にされないのでは？」と考える社長も少なくありません。

「今まで数回実施したけど効果がなかった」という方もいます。

実際にプレスリリースを出してすぐに結果を出すことはプロのPR会社でも難しいです。

しかし、ポイントをつかんで根気よく出し続ければ必ず記事として取り上げられる日はきます。

ちなみに大企業の広報担当は年間150本程度のプレスリリースを出します。

大企業でもそのくらいの努力が必要なのですから、中小零細企業は、「数打てば当たる」ではないですが、ポイントを押さえて**少なくともまず毎週一回程度はプレスリリースを出す努力が必要**でしょう。

そもそもマスコミは常にネタ不足で困っている状況なのです。

新聞は記事のネタがなくても毎日紙面を埋めなければならないですし、テレビも番組の内容を埋めなければなりません。

また、マスコミ関係者は多忙なため、常に特ダネばかりを狙っていられるほどの時間的余裕もありません。

ですから、実際は自分の足で一から情報を仕入れるのは稀で、プレスリリースを参考にして情報を仕入れることがほとんどなのです。

繰り返しとなりますが、ここでも大事なことはコツコツと出し続けることだと思います。

プレスリリースを書くポイントは？

大企業であれば広報担当がいて、そのチームでPRを行いますので、日々マスコミに取り上げられるべく施策がなされています。

さらに大企業が発信する情報は大企業なので、お客様の認知が元々高いため、ニュースの価値が高くメディアに取り上げられる率も高くなるのです。

どういうことかといえば、例えばNTTドコモが新しい携帯を発売するというプレスリリースを出したとしましょう。

ＮＴＴドコモを利用している消費者は多いので、ニュースに興味を持つ人数も多いと予想できます。

情報を受けとったマスコミもそう考えますので、このプレスリリースは間違いなくニュースとして取り上げられます。

一方、中小企業が新製品を発売したことのプレスリリースを出しても、知名度がないためニュースの価値が低く、これでは記事として取り上げてはくれません。

大企業と違い中小企業は元々の知名度に差があるため、**ニュースとして取り上げてもらうには、ニュースの価値を上げる「切り口」を考えてプレスリリースを出す必要があります。**

記者が記事として取り上げたくなる切り口を考える方法として、記者を自分に置き換えて考えてみるということが重要となります。

自分が記者だったらどういう内容なら世間に知らせたいかを逆算して考え、記者を顧客だと思い営業するつもりでプレスリリースを考えてみてください。

知っておくべきことは、記者は「世の中を良くする視点」や「世の中にインパクトを与えるサービス」「社会的意義がある行為」に興味があることが多く、それがプレスリリースの中にあると共感を呼び記事なりやすくなる傾向があります。

自社のサービスや商品で世の中がこう変わるといった具体的な説明を添えたプレスリリースはかなり有効です。

正直、記者は商品やサービス自体にはそれほど重要視しておらず、それによって世の中がどう変わるのか、この記事で読者にどんな感動を与えられるのかに着目していますので、その内容を掘り下げ、ニュースの価値を上げることに注力してみてください。

黒字社長のルール25

「プレスリリース」はどんな会社でもできる最も低コストの知名度アップ戦略。広告との違いをしっかりと理解し、しっかりと自社を認知してもらうスタートとせよ。

成果を上げるプレスリリースとは？

プレスリリースを出してもなかなか記事として取り上げてもらえないと嘆く経験は、プレスリリースを書き始めた方なら最初は誰でも通る道です。

そこで、前述したプレスリリースを取り上げてもらうのに必要な考え方を押さえたら、次はプレスリリースの具体的な技術を学んでいきましょう。

その①権威を利用してブームをつくる

社会的現象やブームを待っていてもなかなかブームが起きない場合は、メディアを活用し自社でブームを起こす施策を考えます。

ブームを起こすためマスコミを利用するのですが、**マスコミにニュースを取り上げさせるには信頼度の高い情報が必要です。**

そこで、**そもそも信頼度の高い、大学や研究機関や権威ある人などとうまく連携してニュースをつくる方法があります。**

よくある例として、アパレル会社がよくテレビに出演している文化人枠のタレントをイベントに呼び、「今季の夏カラーは青色だ」と宣言してもらいます。そして、そのイベントをプレスリリースで新聞社や雑誌社に送ります。

そのタレントがファッションリーダー的な立ち位置であれば、その話は新聞や雑誌やネットニュースで報道され、消費者にも浸透していきます。

その仕掛けをしたアパレル会社は夏に向けて青色の洋服をいち早く準備し、さらにファッションショーなどでも青色の展開を仕掛けます。

その流れにテレビも乗ると一気に青色が夏の流行カラーになるというイメージです。

他にもある、サプリ会社では広告宣伝だけでは売上が頭打ちとなるため、新商品のサプリを売るためにブームを仕掛ける施策を打ちました。

まずやったことは、アメリカの大学と提携して「大人の睡眠不足は健康上どう問題があるのか？」という研究をしました。

次に研究データがとれた段階で、そのデータをプレスリリースにまとめ、マスコミに送りました。

研究結果からは大人の睡眠不足は健康上良くないという結論が出ていますから、マスコミも価値ある情報として、「成人も6時間の睡眠は確保すべきだ」といくつかのニュースや番組で放映しました。

その番組やニュースが流れるとすぐに、サプリ会社は用意していた新商品「質の高い快適な睡眠がとれるサプリ」のプレスリリースとCMなど広告宣伝をかけ、結果は爆発的なヒットとなったのです。


このサプリ会社の手法もあるオムツ販売の会社の模倣をしているのですが、このようにマスコミに価値ある情報を流し、自らブームをつくった後にCMなどの宣伝をし、効果を倍増させるやり方は様々な業種でもかなり使われています。

中小企業のプレスリリース戦略

大企業ではプレスリリースの配信とメディアをうまく利用する「メディアミックス」と

いう戦略をよく使いますが、中小企業では難しいと思われがちです。

しかし、実際は権威を利用するのはそこまでハードルは高くありません。

例えば、海外の大学では研究費が足りない学部も多いので、研究費とのバーターで協力してくれる教授はかなりの数います。

また、あまり知られていないのですが、日本の大学でもゼミを持っている教授であれば共同研究として協力し、さらにプレスリリースを共同名義で打つことも実は可能です。

さらに、最近ではテレビだけではなくインフルエンサーの力も強いため、彼らと協力してメディアミックスをする手法もあります。

例えば、老舗旅館を営む会社が外国人のお客様を増やそうとインフルエンサーと組んだ例があります。

そのインフルエンサーは中国の有名なインフルエンサーだったのですが、日本文化が大好きだったため、日本の老舗旅館に宿泊し、様々な名所を紹介するイベントを企画したところ、すぐにＯＫが出ました。

そのイベントをローカル局に「海外の有名インフルエンサーもお気に入りの街」としてプレスリリースを流したところ、すぐに取材の連絡がきました。

インフルエンサーにその時の取材データも送り、インフルエンサーのYouTubeで日本のテレビに出演したと流してもらったところ、大反響となりました。放映から5年以上経ちますが、その店はいまだに海外からのお客様の引き合いが多いとのことです。

このように、権威ある大学や人、キー局とのメディアミックスだけではなく、インフルエンサーやローカル局を活用したメディアミックスでも十分効果があります。

「ローカル局ではたいした効果がないのでは……」と疑問を持つ方もいるかもしれません。そういう方は、「アメリカのテレビで特集された〇〇」と聞いたとき、どのテレビ局で特集されたのかを気にするのでしょうか。おそらく気にする人はほぼいないと思います。**大事なのは「テレビに放映された事実」であり、テレビ局がどこなのかはどうでもよいのです。**

また、ローカル局もビジネスなので、企画の趣旨がきちんとしていれば臨機応変に対応してくれるところが多いです。

ローカル局は中小企業の強い味方となり得るので、企画が浮かんだらまずは企画書にまとめてメディアミックスに挑戦してみましょう。

その②新しい言葉を考える

プレスリリースを配信してメディアに取り上げてもらうには、目新しい商品やサービスをつくり出すのも一つの手法ですが、その際に新しい言葉を自分でつくることで記者の目にとまりやすくなります。

例えば新しい言葉を考えるときに「○○士」とつけるのは、弁護士や会計士のように威厳があるイメージがつくためよい戦略だといわれています。

要介護の方や障害者の方専門の旅行を企画している会社では、サービスをPRするためにそのサービスのツアーコンダクターの方を「旅行介護士」という新しい言葉をつけてプレスリリースを出したところ、NHKなど多くのメディアから取材が殺到したことがありました。

また、以前にもベビーシッターがなかなか仕事としての尊厳を得られないとの意見があり、ある会社がベビーシッターを「育児士」と名前をつけて、その協会までつくったこともあるくらいです。

飲食店のメニューに新しい言葉をつけた例もあります。おでんを天ぷらにした「おでんぷら」という名前をつけプレスリリースを出したところ、夕方のキー局の情報番組で特集されその後、大反響となりました。

このように新しい言葉を使ったプレスリリースは記者の目を引き、メディアに出やすくなるのでおすすめです。

その③エビデンスとしての数字を活用

前述の通り、プレスリリースは広告ではなくニュースを配信します。そのためにはプレスリリースの内容に信憑性を持たせる必要があります。つまり、**客観的な情報や裏付けデータを示す必要がある**のです。

マスコミに送られてくるプレスリリースは、送り主の都合の良いことばかり記載されていることが多いので記者も疑ってかかります。

疑いを解くためにも、総務省統計局のサイトにあるデータや研究機関のデータなど、エビデンスのある数字を活用するとよいでしょう。

データの探し方としては、ネットの検索で「○○ 統計」という形で○○に自分の調べたいキーワードを入れると検索しやすいです。信憑性のあるデータが出てこない場合は、第三者にデータを作ってもらう方法もあります。

データの作り方はネットアンケートを活用します。

最近ではネットアンケートを請け負ってくれる会社も増えてきており、数万円程度で実施できます。

それを活用し、きちんとしたデータをとってその内容をプレスリリースに入れましょう。それだけでも、エビデンスの数字があるため他のプレスリリースよりも数段、記者の目を引くはずです。

その④模倣が重要

自社のサービスや商品をどのようにプレスリリースに書けばよいかどうしても思いつかない場合は、**これまでの他社の記事をヒントにしてみましょう。**

ライバル会社がどんな記事を書いてメディアに取り上げられたかを調べれば、ポイントがわかってくるはずです。

調べ方は簡単で、自社のサービスや商品に関連するキーワードをまずは箇条書きにしてください。

例えば教育関連会社だとすると、教育、受験、テスト、新学期、学校、共通試験、学級崩壊など様々なワードをピックアップします。

そして、そのワードをGoogleのニュース検索を使って検索してみてください。メディアに取り上げられた記事がたくさん出てきますので、その内容を確認しつつ、その業界がどのような切り口で記事になっているかをチェックし、その切り口を模倣しましょう。

いくつものメディアに出た記事を自社のサービスに置き換えて模倣することで、メディア受けするプレスリリースが出来上がるはずです。

メディアリストを作る

これはプレスリリースを打って実績を作った後に必ずやってほしい方法です。

ある意味裏技でもあるのですが、ある程度プレスリリースを打って記事にしてもらえると媒体の担当者によっては直接プレスリリースを送れる仲になることがあるのです。

担当者も毎日記事を探していますので、少しでもニュース性のあるプレスリリースを出す企業を押さえておきたいと考えるのは普通のことです。

ですから、ニュースとしての価値のあるプレスリリースを出し続ければ、取材時に何回か顔を合わせることになりますので、その際にも今後の付き合いを提案しておくのも方法の一つです。

僕の会社でもそのようなメディア担当者は数十名と押さえていますので、プレスリリースの採用率は非常に高いです。

自分のメディアリストを作ることができれば、プレスリリースを使って知名度を上げたいタイミングで上げられるようになるので、そこまでをゴールにしてください。

黒字社長のルール 26

「プレスリリース４つのテクニック」を駆使してメディアとの接点をつくろう。

「ブランディング」の重要性

新規のビジネスを成長させるのに不可欠な技術として「ブランディング」が挙げられます。

今、世界中のどの企業でも成功している企業はすべてブランディングしていると言っても過言ではありません。

ビジネスをする以上、ブランディングなしには生き残ることが難しいのは間違いありません。

例えば、ブランディングをせずに広告を垂れ流す会社をよく見かけますが、最初は広告だけで採算がとれることもありますが、1年かからずに採算がとれなくなり、ビジネスがシュリンク（縮小）してしまうことがほとんどです。

ある美容エステの会社はブランディングを考えず広告宣伝に5000万円以上かけたのにお客様が想定よりも集まらず泣きついてきたこともありました。

ビジネスで成功するためには広告やＰＲをする前に、必ず自社の商品やサービスをブランディングする必要があるのです。

その理由の一つは、ブランディングをすることで自分の商品やサービスの価格を引き上げることが可能になるからです。

ブランディング技術を身につけることでビジネスを飛躍的に成長させることが可能になります。

では、ブランディングとはそもそも何なのでしょうか？　これを理解しないと何も対策が打てませんので、まずはブランディングとは何か、そして自社の強みなどブランディングするために必要な３つの考え方を学んでいきましょう。

ブランディングとは？

そもそもブランディングとは何なのでしょうか？　実はブランディングの概念は大昔から存在していました。

昔は多くの人が家畜を生飼育していましたが、自分の家畜も他の家の家畜もごちゃまぜになってしまうとどちらの家の家畜か区別がつきませんでした。

そこで自分の家畜に焼き印を押して区別できるようにしたのです。

これがブランド（ブランディング）の起源といわれています。

つまり、ブランディングとは簡単にいえば自分の商品を区別させる、差別化のことです。

まわりにありふれた商品が乱雑している中で、自社商品を見ればすぐ区別できる状態にすることを目的としています。

また、ブランディングすることによって商品に3つの役割を付与できます。

まず1つ目は「識別」です。

例えば赤い看板に黄色の「M」の文字を見たらすぐに「マクドナルド」だと識別できますよね。

また、吉野家の看板を見たらすぐに牛丼店と認識できると思います。「うまい、やすい、はやい」のイメージを思い出す方もいるでしょう。

このように名前や看板だけで、他のものと識別できる役割がブランディングにはあります。

次にブランディングにより「品質保証の役割を果たす」パターンがあります。

例えば「日本製」と聞くだけで、海外の人たちは品質に問題はない、素晴らしい品質だと判断します。

これもブランディングの役割です。日本人だと「イタリア製のスーツ」というだけで高級に感じるのも同じ原理です。実際に中国では日本製というだけで、いまだに美容商品や健康サプリなどはかなりの売れ行きとなっています。

最後は「製品の意味付け」の役割です。

例えば、「フェラーリ」を所有しているだけでお金持ちのイメージがありますよね。

これもフェラーリがそういうブランディングをしているので人々がそうとらえます。「ランボルギーニ」や「パテック フィリップ」「エルメス」のバーキンなど製品が持つ意味付けを利用してビジネスを展開する方もいます。

その人自体にお金持ちのイメージがなくても、ブランディングされた商品を使用することで身につけた人にも同じイメージを与える役割があるのです。

このように、商品やサービスに自分の意図したブランディングをすることによって、顧客にポジティブなイメージを植え付けることができ、このイメージをうまく活用して商品

図13　代表的なブランディング要素

1	ブランド名
2	ロゴマーク、ロゴタイプ
3	色
4	キャラクター
5	パッケージや空間デザイン
6	タグライン
7	ジングル、音楽

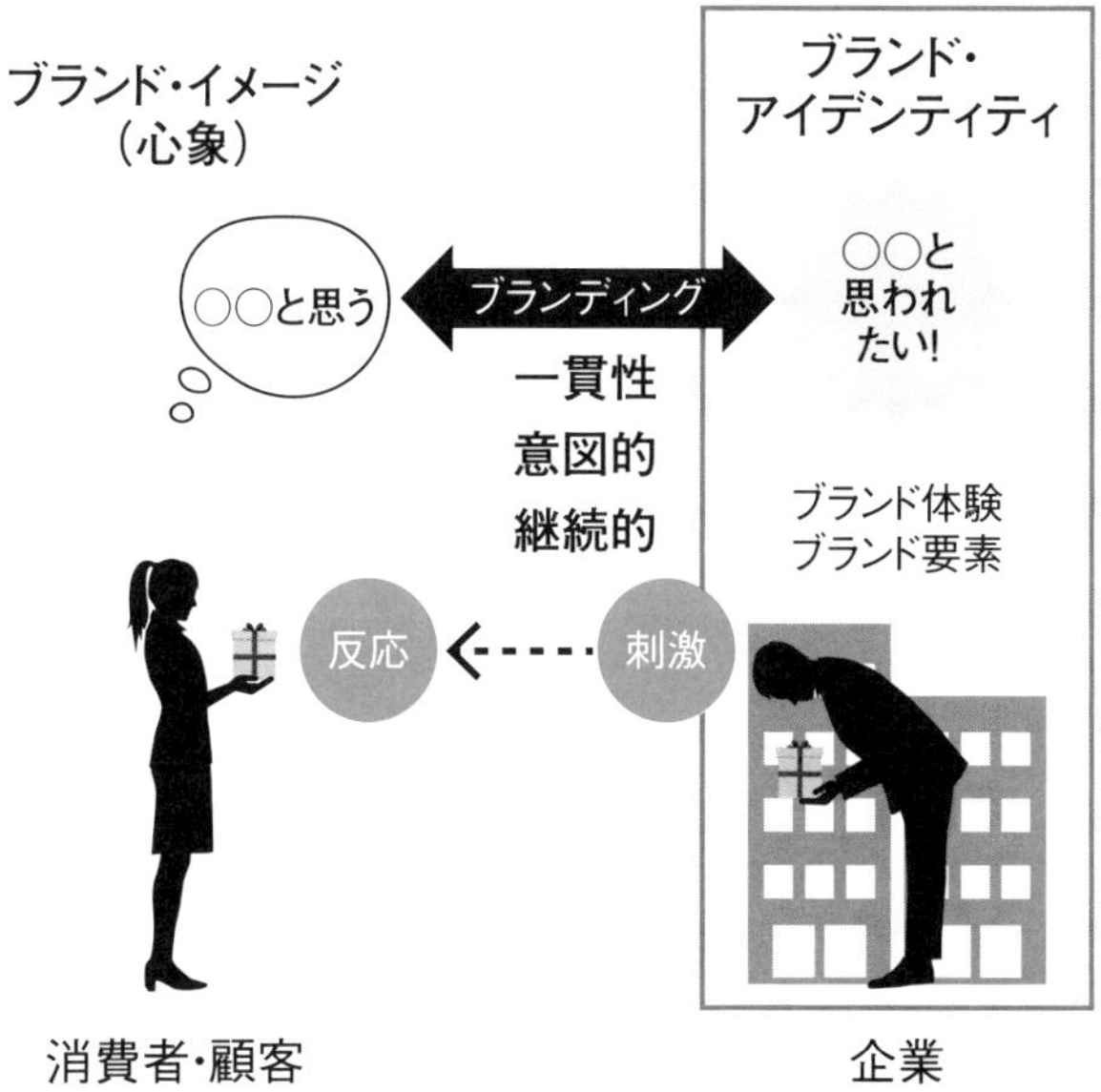

やサービスを販売することができます。

ブランディングのイメージをつかんだら、次は自身の商品をブランディングするために以下のことを実行しましょう。

まずは、**自分のビジネスやサービス、商品の強みを考えましょう。**

ライバル企業と比較してどこが強みなのかをわかりやすく説明できなければお客様はその商品やサービスを検討もしてくれません。

また強みがないとメディアも何を取り上げてよいかわからないため、プレスリリースを読んでもくれません。

お客様第一、誠心誠意、真心のこもったサービスなど使い古されたフレーズではなく、自社の本当の強みは何なのかを明確に言語化する必要があります。

また、その強みがお客様にどのように役立つのか、どんなメリットがあるのか、商品やサービスを使うことで感謝されるのかまで考えられれば完璧です。

強みを考えるポイントはいくつかありますが、まずは、自社でしかできないことを考えていくつか箇条書きにしてみるとよいでしょう。

次にターゲットも考えてみましょう。

その強みのある商品やサービスに対して価値を感じてくれるお客様はどういう人なのかを具体的にイメージしてください。

男性、女性、若者、年配、一般層、富裕層など、どの層にささるのかをイメージして分析してみてください。

社員間で話し合って考えるのも重要ですが、客観的に調査するならネットリサーチやコンサルティング会社を活用するのも一つの手です。

最近のネットリサーチではアンケート形式を数万円で請け負ってくれる会社もありますし、ターゲット選定などはコンサルティング会社でも得意な会社もあるので予算に合わせてうまく活用するとよいでしょう。

そこまでを考えて、**強みを箇条書きにしたら、次はその一つ一つのサービスをネットで必ず検索してみてください。**

同じ強みのサービスや商品が複数ヒットした場合は、市場に浸透してしまっていますので自社の強みとしては不適格です。

もちろん多少似ているサービスがあるのは仕方ないのですが、せいぜい1～2社程度がかぶっているくらいで、さらにその会社の売上がそこまで高くなければ許容範囲だと思います。

そして、**自社のサービスや商品の強みを把握したら、自社のオリジナルを強調するためにサービスや商品にネーミングをつけましょう。**

今後そのネーミングでブランディングをしていきますので、なるべくお客様に浸透しそうなネーミングが好ましいです。

自分だけで考えると、ちょっと世間の感覚とズレたネーミングになりやすいので、なるべくまわりと相談しながら出てきた案から選ぶのがコツです。

それでもなかなか良いネーミングだと思えない場合はスキルシェアのサイトを利用してみましょう。クラウドワークスやランサーズなどスキルシェアサイトでも、ネーミングを請け負ってくれる方や今後必要になるロゴを作成してくれる方もいますので、サイトをうまく利用して、ネーミングを決めてみてください。

最後に、**自分の強みを明確化し、ネーミングを決定したらそのサービス名を商標登録しましょう。**

これからそのサービスを広めることでどんどん売上が上がりますが、その名称がすでに商標登録されていた場合は、その名称を使うことができず、もし知らずに使用してしまうと最悪は裁判沙汰になってしまいます。

前述しましたが、以前に投資をしていた会社も、ネーミングを社員で考えて商品名を決めて販売していたのですが、半年後に内容証明が届いたことがあります。

そのネーミングが商標登録をされており、損害を補塡しろという内容でした。

損害については交渉する余地はあるのですが、その商品の売上が良ければ良いほど損害金が上がるという最悪な状況となります。

このようなリスクを回避するためにも、きちんと商標登録をして防御をかためておくのが大事です。

黒字社長のルール 27

ブランドの確立こそがあなたの会社が生き残っていく最短の道。自社のビジネスやサービス、商品の強みを徹底的に検証し直し「勝負する場所」を選ぶ。

テレビとＳＮＳの正しい活用法

テレビもＳＮＳもどちらも認知度を上げるために使うという共通点はありますが、実際の効果は異なります。

例えばテレビの場合、社長がタレントのようにテレビに出演できることはほとんどなく、特番などのスポットでテレビに出るのが通常です。

一方、ＳＮＳは自分が主役として日常を伝えるツールとなっており、毎日更新して情報を伝えることができます。

テレビのほうが元々の視聴者が多いので、一度出演するだけでも効果がありますが、ＳＮＳは毎日コツコツ更新をしていかないとなかなか効果を得られません。

このように、テレビとＳＮＳは使い方によって効果に差があるため、それぞれの活用法を確認しておきましょう。

まずはテレビの活用法ですが、前述したプレスリリースを配信してテレビ企画に取り上げてもらう方法以外だと、テレビCMを使って認知度を上げる方法があります。

例えば、ソニー損害保険（ソニー損保）はかなりの本数のCMを流しており、「ソニー損保」の独特なイントネーションをCMで聞いたことがある人も多いと思います。

実際にあのCMを流すことでCM費用以上に売上を成長させています。

テレビCMはオワコンともいわれていましたが、実際には、テレビCMを利用して認知を上げることで売上を上げている会社は多いです。

もちろん、テレビ離れにより、CMの値段は全盛期よりも下がりましたが、それでもキー局のCMは、15秒のCM1本で50万円以上の値段となりかなりの予算が必要です。

そんなにお金がかかるのになぜ多くの会社がテレビCMを打つのでしょうか？

それは、テレビはいまだにブランディングとしての役割を果たしているからです。

テレビで放映されることで、消費者は「テレビに出ている会社だから安心だ」となぜか信頼感や安心感を持ちます。

その安心感が購買に繋がり、CMを打つほど認知度が上がり安心感が拡がるので売上が上がっていくのです。

テレビＣＭの効果は理解したけど、そんなに予算がとれないという会社もあるかと思います。

そのような中小企業でもテレビＣＭを打つことは可能です。

それはキー局ではなく、地方局でＣＭを流して認知度を上げる手法です。

地方局はキー局に比べてＣＭ料金も４分の１くらいに抑えられます。

また地方局はキー局とは異なり、代理店を通さず直接交渉することもできますので、より安くＣＭを打つことも可能です。

さらに裏技としてＣＭを打つことを条件にどこかの番組にバーターで出演させてもらうなど、様々な交渉が可能になっており、地方局をうまく利用すれば十分利益を出すことができます。

「地方局はキー局とは違ってそんなに視聴率がないのでは？」と思われた方もいると思います。

それはその通りで、地方局はキー局ほど影響力はないので、テレビＣＭをただ放映するだけではそこまで売上も上がらないのは事実です。

地方局ではかなりの本数を打たないと効果はほとんどないでしょう。

かなりの本数というのは、例えば僕のクライアントは月に200本のCMを地方局で打っています。

キー局で打ったら数千万円はしますが、地方局であれば桁が一つ減って数百万円です。それでもかなりの費用になりますが、実際にこのくらいを打つと反響は確実にあります。3カ月から半年で売上が2倍に成長した例もあるので地方局といってもさすがにメディアの力はすごいです。

とは言うものの、元々の広告予算が少ない場合はそこまでの本数は難しいと思います。ではどうすれば効果が出るかというと二次利用をうまく使います。

例えばEC販売でネットの広告で集客をしている会社があるとしましょう。ネット広告は打てば打つほどターゲットを刈り取ってしまうのである程度の売上をつくると反応が落ち込むのが一般的です。

そのときにテレビCMを使います。CMを放映している間、ランディングページ（LP）やバナー広告に「テレビCM放映中」という文字を入れることにより、お客様に安心感を持たすことができ、反応が上がります。

LPやホームページにはテレビCMの動画をつけるとさらに信頼され反応が上がります。

この現象は前述したブランディング効果で、テレビＣＭを出しているなら安心という感情が働いているからです。

例えば、営業を主体とした会社ならタブレットを持参してテレビＣＭを打っていることをアピールするなど、営業資料にテレビＣＭ放映中をアピールするだけでも成約率がアップします。

このように、テレビＣＭを放映するだけではなく積極的に二次利用することが重要です。

一方でＳＮＳはどう活用すればよいのでしょうか。

年輩の方はまだまだテレビのほうが影響力がありますが、若者はＳＮＳを情報源としている方も多いです。

特にＸ（旧 Twitter）は今何が起きているかを知るツールにもなっていますし、Instagramで美容情報や飲食店を検索している方も多くいます。

最近では TikTok を使って求人募集をし、なかなか求人が集まらない業種でも求人獲得に成功している事例も出てきており、ＳＮＳをどう使うかで会社の成長に影響が出るようになっています。

この状況化で企業もＳＮＳを使っているところが増えましたが、いまいちうまく使えずに効果が出ていないところも多いようです。

その要因は継続力にあります。

効果のあるＳＮＳの基本的な使い方は継続して情報を発信することです。

週に１回程度の運用では効果はほとんどありません。

例えばＸなら、毎日投稿が当たり前で、１日に数回投稿する方もいます。

Instagram もストーリーを毎日投稿するなど、フォロワーを飽きさせない工夫が必要です。

毎日の投稿でフォロワーが増えてきた段階で次のステップに進みます。

それは自社商品の案内ページに誘導することです。

Ｘや Instagram や TikTok を見てくれている方をまずは LINE や自社アプリに誘導します。

Ｘで有益な情報配信をして、さらに有益な情報はコチラという形で誘導し、LINE や自社アプリに登録してもらい、その後初めて自社商品を提案するという形は大企業でも使っている手法です。

自社が運用しているＳＮＳを毎日見ている方はある意味、会社のファンとなっているため信頼感を持ってくれています。

そのような方に商品をおすすめすれば購入してもらえるという寸法です。

ＳＮＳはテレビとは異なり継続して信頼感をつくるツールということをしっかり覚えておきましょう。

黒字社長のルール28

「テレビ広告は高価過ぎる」「テレビはオワコン」は誤った認識。正しいテレビの使い方を理解し、効果的なブランディングを実践する。

広告とブランディングの違いとは？

広告とブランディングのどちらも「人に知ってもらう」という目的は変わらないのですが、人の受け取る印象は全く違います。

広告とは知ってもらうだけではなく「買ってもらう」という要素も強く、購入してもらうために自分から消費者に発信するものです。

ですから広告は自分にとって都合の良い言葉が並んでおり、消費者から見るとちょっと胡散臭く感じるか、どうせ広告だしとスルーされてしまうことが多いのです。

もちろん、コピーライティングやデザインが秀逸であれば消費者の心にささり、商品が売れることもあるので、成長している企業は広告の出来栄えに十分な予算と時間をかけています。

ある住宅販売の会社では、一般的には売りにくい狭小住宅を都内に住む利便性と他にはないお洒落な間取りを打ち出した広告運用で何十億円もの売上をつくっています。

ある学習塾では入塾説明会の案内のダイレクトメールの文章をストーリー仕立てで誰もが共感する文章構成にして広告を出したところ、そのダイレクトメールを読んできた方の入会率を87％にするという驚異的な数字をつくりました。

このように広告を工夫している会社は順調に成長していきますが、多くの会社は広告で苦戦をしています。

一方、ブランディングは広告のように買ってもらうためのものではないため、売上に直結しません。

ブランディングとはあくまで認知度を上げて、お客様に信頼感を持ってもらうものです。プレスリリースを打って、第三者に取り上げてもらうことで、自分に都合の良い宣伝ではなく、第三者が感じた言葉で発信されるため消費者も信頼しやすいのが特徴です。

実はテレビＣＭも広告と勘違いされやすいのですが、ＣＭはブランディングに近いです。

そもそもテレビＣＭは誰もがお金を出せば出せるものではありません。テレビＣＭを出すには、まず企業考査が必要となります。その企業がきちんとした企業なのかテレビ局側で審査があるのです。

その審査に合格したら、ＣＭを出す権利を得られます。

さらにＣＭも、自社に都合の良いワードを好き勝手に入れることはできません。ＣＭ内容にも考査があるため、勝手に「ナンバー１」のような強い表現は使うことができません。きちんとしたエビデンスに基づいた表現でＣＭをつくる必要があるのです。

このようにテレビＣＭには多くの規制がありますから、広告のような自由な表現ができないためテレビＣＭからすぐに購入に繋がるということはほとんどありません。

テレビＣＭはブランディングに近いというのはこのようなテレビ局側の状況があるからです。

ブランディングの重要性については前述しましたが、会社を成長させるためには、ブランディングと広告をうまく両立させていくのが近道といえるでしょう。

黒字社長のルール 29

「ブランディング→広告」。この流れと両者の違いを正確に把握していないと「お客様に買っていただく」までたどり着かない。

予算別メディア戦略

ここまででメディア戦略を実施することで会社が成長するイメージはできたかと思います。多くの成功している会社はメディアを使って認知度を上げブランディングをし、お客様に安心感を創出し商品が売れる環境をつくっています。

この環境をつくるには、当然予算もかかります。

大企業であれば予算も大きくかけられますが、中小企業ではそうもいきません。

そこで中小企業の予算に合わせた最善のメディア戦略を考えてみましょう。

予算100万円未満

売上に直結する広告ではなく、ブランディングにかけられる予算はなかなかとれないという会社も多いでしょう。

しかし、広告だけに頼ると未来は明るくないことはご理解いただけたかと思います。

そのような予算が少ない会社でもできるプランは、ずばりプレスリリースです。

まずは、週に1本はプレスリリースを打つようにしましょう。

プレスリリースを打てば打つほど要領がわかってきますので、時間もそこまでとられずに打てるようになります。

配信料も定額のプレスリリース配信会社もありますので、月2万〜3万円程度の予算で実施可能です。

そして、続いて地方局のテレビCMにもチャレンジしてみましょう。

地方局は前述したように自社で交渉ができます。代理店を通すと地方局でも15秒CMが1本5万円程度になりますが、交渉次第では半額になることもあります。

交渉し、15〜20本のCMを流すことでテレビCMを流しているという大きなブランディングを得ることができます。

プレスリリースにもテレビCM放映中と載せるだけで反応が全く違いますので、ぜひチャレンジしたいです。テレビCM20本と動画制作の料金を入れると交渉次第では100万円を切るくらいも可能なので、予算と検討をしてみましょう。

予算３００万円

予算が３００万円の場合は「メディアバイイング」も可能となります。メディアバイイングとは、テレビ番組の枠を購入してテレビに自社を出演させる手法です。

まずはプレスリリースを打ち、テレビＣＭも月20本を３カ月くらい続けて打つのがよいでしょう。

テレビＣＭは期間を長く打てば打つほどブランディング効果が上がるというデータがあるので、予算があるなら一気に短期間でＣＭを打つよりも長期間打ったほうが効果は高いです。代理店は一気にＣＭを消費させたほうが手間がなく売上も入るので短期間でのＣＭをすすめてきますが、データをしっかり確認しましょう。

ここまでのプレスリリースとテレビＣＭと動画制作で２００万円の予算となりますが、残り１００万円でメディアバイイングを仕掛けます。

メディアバイイングにもパターンがあり、番組をイチからつくることもできますし、すでにある番組に5～10分程度特集として自社を差し込んでもらうこともできます。

残り100万円の予算だと、差し込んでもらうパターンであればメディアバイイングは可能です。

地方局ではありますが番組としては、有名なタレントがMCの番組に出演でき、自社の商品がクローズアップされますので効果は高いです。

また地方局ではその放映された映像を二次利用することができる場合もあります。二次利用ができるなら、自社のホームページに画像をはり、YouTubeに動画を配信することも可能なので、自社のブランディングとしてかなりの効果を発揮できます。

300万円の予算でここまでメディアを利用してブランディングができるのです。

予算500万円以上

予算が500万円を超えてくると、プレスリリース、テレビCM、メディアバイイングなどすべてのブランディングが長期間可能になります。

予算によっては自分の商品に合うタレントを呼んで番組を制作することもできます。

あまり知られていないのですが、**タレントは広告で使う場合は数百万円かかる方でもテ**

レビに呼ぶ場合は数十万円しかかかりません。

これは、タレントがテレビに出ることで自分のブランディングになることがわかっているため、安い値段でも出演するメリットがあるからです。

地方局でも有名なタレントが出演しているのは自身のブランディングになるからであり、その意味では自社商品も同じ効果があるのがわかるかと思います。

番組制作の予算はタレントを呼ぶ場合でも300万〜500万円程度で30分番組がつくれます。

僕のクライアントも商材が一般ウケしないものでしたが、地方局で番組を制作し、それを二次利用したことにより安心感を創出したことでかなりの売上をつくりました。

予算があるならここまでやるメディア戦略がおすすめです。

黒字社長のルール30

予算別にメディア戦略があるが根底は同じ。すべては「認知度を上げるためのブランディングをし、お客様に安心して買っていただく環境」をつくるためのプロセス。

第5章 アライアンスのルール

黒字化してさらに会社の売上を上げ、増収増益を達成するにはアライアンスを組むのが有効です。

アライアンスを組むことで今までの自分の業界価値にとらわれず新たな戦略が可能となることもありますし、自社のお客様に新たな提案ができることもあります。

自社だけでビジネス展開していたものを視野を拡げてまわりを巻き込みながら展開していくのがアライアンスのイメージです。

アライアンスをきちんと戦略として使いこなせればビジネスの規模が拡大しますのでしっかり学んでおきましょう。

「アライアンス」とは何か？

アライアンスとは、企業同士が対等な立場で戦略的な提携を結ぶことをいいます。**お互いの強みを共有してビジネスを展開し、お互いに利益が出るように設計するのがポイント**です。

アライアンスには、業務提携や資本提携など様々な提携の種類があります。

例えば業務提携の場合は、お互いの強みやスキルを共有することで、自社だけでは解決できなかったものを解決し、ビジネスのスピードを上げることを目的としています。

中古ブランド品を扱う大黒屋と旅行代理店であるＪＴＢがアライアンスを結び、思い出の品を新たな旅行の機会に変えるという新たな市場を生み出しました。

お客様が大黒屋に持ち込んだ中古ブランド品の査定価格の10％にＪＴＢトラベルポイントを付与するというサービスを実施したのですが、お互いに顧客交換ができ結果も上々だったようです。

また、資本提携の場合はお互いの会社がお互いの株を持ち合い資金面で支え合う形もありますし、一方は資金を出しもう一方は技術やサービスを提供するといった資本提供もあります。

僕の顧問先の話ですが、ある会社から顧問先に資本提携をしたいという話がきました。顧問先のビジネスは人材研修の会社だったのですが、その会社は人材派遣業をされていました。その会社は僕の知り合いの金融機関からの紹介だったので、なぜ資本提携をしたいのかを聞いたところ、理由が最近よくある例だったのでご紹介します。

その会社は紹介してきた金融機関をはじめ様々なところから出資を受けている会社だったのです。

出資を受けたことがある方はわかると思いますが、**出資した人は出資先にエグジットするように要求します**。

出資先がエグジットしないと出資者に利益が出ないからです。

例えば、僕の顧問先でバイオ系の会社がありましたが、まさにこのケースで会社を売却しました。

その会社はベンチャーキャピタルから出資を受けていましたが、その出資の契約に期限がつけられていたのです。

これはよくある話で、そもそもベンチャーキャピタルは自分達個人のお金を運用しているわけではありません。

ベンチャーキャピタルに投資をしている投資家が数名いて、その投資家のお金を預かりベンチャーキャピタルは出資をしています。

その背景から出資をした会社の成長を気長にずっと待つわけにはいかず、期限を設けて回収する必要があるのです。

その期限はベンチャーキャピタルからの出資を受ける場合はほぼ間違いなく契約書に記載されています。

顧問先の会社は上場を目指していましたが、期限内に上場は難しかったため、売却してベンチャーキャピタルに利益を還元することになりました。

上場すればベンチャーキャピタルにとっても顧問先の会社の社長にとっても、もっと利益が出たのですが、これは契約なので仕方がありません。

このように**出資を受けた会社は出資者からのプレッシャーを受けながら、エグジットとしてIPOかM&Aバイアウトをするために会社を成長させる義務がある**のです。

会社を成長させるのに一番早い方法は、出資で入れてもらったお金を使って、すでにスキルのある会社と資本提携をして自社のサービスを拡大することです。

今回の例もまさにこのパターンで、金融機関もその会社をエグジットまで持っていきたいので僕に連絡してきたのでした。

このようにアライアンスにはいろいろなパターンがあり、アライアンスを結ぶことができればお互いにメリットがうまれ、ほとんどの場合ビジネスのスピードが上がります。

黒字社長のルール 31

「正しいアライアンス」ができることによって、あなたの会社の将来は劇的に変わっていく。

大企業とアライアンスを組むための条件

アライアンスを結ぶことはお互いに大きなメリットがあり、売上を伸ばすためにも最適な戦略です。

僕の出資先でも大企業とアライアンスを結び、大企業と連携して店舗展開をし、一店舗で月の利益800万円を初月で突破したこともあります。

一般的に飲食店の初期投資の回収は1年以上かかりますが、アライアンスを結ぶことでたった3カ月で初期投資を回収できたのはかなり衝撃的なことでした。

この話をすると、「大企業とアライアンスを組みたい」という声が聞こえてきますが、大企業とのアライアンスにはそれなりの戦略が必要となります。

まず、アライアンスの基本は前述したように「企業同士が対等な立場で戦略的な提携を結ぶこと」です。

大企業と対等になるような強みがないとそもそもアライアンスなどは組めません。

まずは自社の強みをつくり、認知させる必要があります。

その方法は説明しましたが、もう一度まとめると、プレスリリースを打ちメディア実績を作ること、そしてテレビCMを打ちブランディングを強化していくこと、最後にメディアバイイングをしてさらに認知度を上げることが必要です。

このメディア戦略をきちんと実施することで、売上は必ず上がりますが、さらに成長させるためには大手とのアライアンスが重要になってきます。

さらに具体的な話をしましょう。

大企業とのアライアンスにメディア戦略で認知度を上げることはもちろんなのですが、もう一つ重要なポイントがあります。

それは**自分の業界での実績**です。

認知度の高さだけでは大企業のほうが認知度は高いので勝負になりません。

勝負できるのは大企業とは違う分野での実績です。

例えば、日本中で誰もが知っている高級和食店とアライアンスを組む場合、高級和食店が持っていない強みを明示する必要があります。

それは海外に販路があるでもよいですし、店舗ではなく通販に強みを持っているでも構いません。

まずは相手が持っていない強みをプレゼンします。そして強みと共にプレゼンするのが実績です。強みをいくら示してもその実績が伴わなければ話になりません。

きちんと数字で実績を示す必要があります。

ではどのくらいの数字の実績があれば大企業が話を聞いてくれるのでしょうか。

それはいろいろなパターンがあり断言は難しいのですが、僕の経験だと、**最低1商品で月商1000万円くらいが一つのライン**かと思います。

このくらいの実績があってようやく話が進むので、まずは実績を作るように頑張ってみましょう。

黒字社長のルール32

「大企業とのアライアンス」も怖がることはない。重要なのは売上規模や従業員数ではなく、「その業界でのプレゼンス」。

「営業代行会社」と組むメリット

売上を上げるために、自社で営業をするだけではなく営業代行会社とアライアンスを組む方法もあります。

営業代行会社には様々な契約パターンがあります。

そもそも営業活動には、ターゲット選定から営業リストの作成、アポイント業務、商談、契約業務と様々な業務があります。営業代行会社ではそれぞれ得意な業務がありますのでその得意分野をお願いすることになります。中小企業が売上を上げるために必要な業務はやはりアポイント獲得業務が主流かと思います。

営業代行会社では代行で各企業に電話をしてアポイントをとるパターンが多いようです。だいたい300社に電話して1件のアポイントがとれるのが平均のようなので、自社で実施するのはかなり大変ですね。

代行会社によっては「インフォメール」を使ってアポイントをとる会社もあります。

インフォメールとは文字通り、「info@会社名」のメールアドレスのことで、代行会社の中には100万件以上の企業のインフォメールを持っているところもあります。

そのような代行会社に依頼すると、自社に合う会社をスクリーニングし、その会社にインフォメールを送りアポイントをとります。

最近ではAIを使って、毎月その会社のサービスに合ったリストを抽出し毎月自動的にインフォメールを送るサービスも出てきています。

月5万円で1万〜2万社に送るサービスのようで、今後人気になるかもしれません。

さらに、インフォメールをして反応がなければ電話で追走する会社もあります。

このように様々な形でアポイントをとる会社が多くありますので、アライアンスを結ぶ際には、その会社の実績をよく確認する必要があります。

きちんと提示された資料を確認して数字を分析し採算がとれるのかを計算しましょう。

中には上場会社にもかかわらず、最初の説明で提示した実績とはかけはなれた結果しか出せない代行会社もありますので、会社規模は関係なくよく見極める必要があります。

心配な場合は、成果報酬で対応してくれる企業もありますので、そこにお願いするのもよいでしょう。ちなみに**代行会社と相性がよいビジネスは、セミナーから商品を販売する**

ビジネスです。

代行会社に成果報酬でセミナーに集客してもらいセミナーで自社サービスを紹介し成約する流れになります。

フランチャイズの加盟店募集などはこのパターンが多いです。

僕の顧問サービスはセミナーで売り込むことはないのですが、セミナーをきっかけに顧問の申し込みをされる方も多いので、税理士や弁護士などの士業の方も相性がよいかもしれません。

自社の営業が弱い、またはより営業を強化したい場合は成果報酬型の代行会社に依頼するのがリスクヘッジができておすすめです。

黒字社長のルール 33

自社の不得手なことを補ってもらうためのアライアンスも要検討。
「餅は餅屋」に任せて自社の強みに磨きをかけよう。

成功するアライアンスの組み方

アライアンスを結ぶ際に、利益を上げやすいパターンはいくつかあります。

僕も自分の会社やクライアントの会社でアライアンスを設計するときは、まずは以下のアライアンスを考えますので参考にしていただければと思います。

ライセンス

最初のアライアンスとしてはライセンスを利用することです。このライセンスはアメリカではよく使われている手法です。よく知られているのはディズニーですね。

ディズニーのキャラクターはそれぞれライセンスを支払うことで自社商品とコラボすることができます。

子どもから大人まで大人気なキャラクターとのコラボ商品は通常の売上の数倍になるそ

うです。

こう聞くとすぐにやりたくなると思いますが、**実際はライセンスフィーが高く利益がでないこともあります。**

知り合いの小売業がディズニーのキャラクターを使った商品を販売していますが、すぐに売り切れになるくらい人気ですがその商品は赤字とのことでした。

元々高い商品ではないことと、ライセンスフィーの支払いが原因でした。

赤字なら使わなければよいと思う人もいますが、ディズニーキャラクターを使っている会社というブランディングを考えると多少の赤字もブランディング費用と考えているのかと思います。

日本でもサンリオの「ハローキティ」という人気キャラクターが同じ戦略をとっています。

ハローキティとコラボしている企業をよく見かけますが、売れ行きは好調のようです。

このようなキャラクターライセンスとのアライアンス方法もあるのですが、日本の商社は別のライセンス方法も実施しています。

例えば、人気ラーメンのライセンスを預かり、カップラーメンの大手に開発させて、自社のコントロールの利くコンビニで販売するというスキームです。

商社はカップラーメンが売れるごとにライセンスフィーとしてカップラーメンの会社からフィーを受け取り、そのフィーを人気ラーメン店と分け合う形になっています。

さらに商社は開発したカップラーメンの宣伝費用もカップラーメン会社から支払ってもらう契約になっていますので損することはほぼありません。

最近の商社の売上が絶好調なのは、このような確実に利益を出すスキームがしっかりできているのがポイントなのかと思います。

さて、ライセンスについてイメージがついたところで、中小企業でもスキームをつくりやすいライセンススキームをご紹介します。

日本には様々な企業がありますが、売上１００億〜２００億円程度の企業で強いブランディングを持っている企業もそれなりにあります。

健康のイメージがある、高級なイメージがある、技術力が高いイメージがある、など強いブランディングができているのでそこまでの売上をつくれています。

そのような企業でも、新規事業の開発やさらに利益をどう上げるのかなどで困っている企業は実は多いです。

そこで、その企業のブランディングとなっている強みを使って、自社が商社とコラボして販売する提案をするのです。

その企業のライセンスを借りて自社で販売し、売上の数%をライセンスフィーでお支払いするビジネスがアライアンスを組むスキームとして一番リスクがなくうまくいきやすいです。

例えば、健康のイメージがある企業からライセンスをお借りしてサプリメントを販売したことがあるのですが、年間2億円の売上がアライアンスを結ぶことで3・2億円まで成長しました。

単純に広告を打ってここまで成長させるのにいくらかかるのかを考えれば、数%のライセンスフィーでの効果がどれだけすごいかがわかるかと思います。

中小企業であれば、まずはこの組み方を検討してみてください。

ただし、あなたが何者なのかわからない状態では相手にしてくれませんので、まずはこれまでに述べてきたメディア戦略をして認知度を上げること、そして売上が月1000万円以上はあることが前提です。

ライセンスパターンでもう一つ中小企業で検討できるのは、海外のライセンスを借りるパターンです。

海外には百貨店も注目している様々なライセンスを持った企業があります。特に海外飲食店のライセンスを日本に持ってくることで、百貨店にも進出しやすくなりブランディングも強くなります。

日本の百貨店に入っているカフェやレストランを見てみるとわかりますが、海外の老舗飲食店のライセンスを持ってきたお店が多いです。

このライセンスフィーはアメリカは高額なのですが、欧州は交渉次第で中小企業でも対応できる場合があります。

少しハードルは高めですがチャレンジしてうまくいけば、かなりのブランディングになるのは間違いありません。

■IPを活用する

次はIPを使ったアライアンスについてです。IPとは、「知的財産」のことなのですが、著作権や特許権、商標権などのことを指します。

このＩＰを持っている企業とアライアンスを結び、売上を成長させていきます。

大企業では様々なＩＰを持っていますが、中小企業でＩＰを持っているところは多くはありません。

仮に持っていたとしても自分たちのビジネスのために取得していますから、それを貸してくれることはほぼないでしょう。

では、どこから借りるかというとそれは大学から借ります。

大学では様々な研究をしており、研究結果が出たらそれをＩＰとして取得します。

しかし、大学は会社ではありませんので、そのＩＰを使って売上をつくる術は持ち合わせていません。その術を担う役割として大学とアライアンスを結ぶのです。

このパターンを成功させるには、大学側がＩＰを取得する前から大学側と協力をしておく必要があります。

まずは自分の商品と相性がよい研究をしている大学のゼミや研究室を探します。

大学全体ではなく、研究室などを運営している教授と提携するのがポイントです。

ほとんどの大学の研究室は十分な予算がありません。

そこで予算協力をして人間関係を構築しましょう。その研究室の研究が無事に成功して

ＩＰを取得したら、まず間違いなくそのＩＰを借りて販売することができます。

僕の友人は独占販売権まで手に入れて、強いブランディングを使って売上を成長させています。

少し時間がかかる戦略ではありますが、カバーしておくとよいと思います。

リスト共有

中小企業同士のアライアンスでよくあるのがリスト共有です。

これは自分のお客様リストと相手のリストを共有してビジネスを展開させる手法です。

例えば、学習塾と学校制服の会社では学習塾は学校制服のお客様のリストに自分達の塾の宣伝をしたいですし、学校制服の会社は学習塾のリストに学生向けの自社商品を宣伝したいため、お互いにメリットがあるアライアンスとなります。

他にも美容室と高級カフェのパターンや、サプリメント会社とスポーツジムのパターンやアパレルショップと化粧品会社のパターンなど様々な形があります。

このパターンは会社の規模が同じくらいであれば、成立しやすいアライアンスです。

逆に規模が違いすぎると、アライアンスとはならず小さい規模側が広告費用を支払うなど対等な契約にならない場合があるので注意が必要です。

まずは自社リストがどの業種とシナジー効果があるのかを考えてみましょう。

■ジョイントベンチャー

最後にご紹介するのはジョイントベンチャーです。

ジョイントベンチャーとは、企業がお互いに出資をし、新しい会社を立ち上げて事業を行うことです。

お互いに強みを持つ同士が共同でビジネスを行うため即効性が高くすぐに軌道に乗せやすいです。

また、お互いに資本を入れているわけですから、すぐに解消することはしにくく本腰を入れてビジネスを展開できるのがメリットでもあります。

有名な例としては、ビックカメラとユニクロがあります。

どちらも集客力が高く扱う商品もかぶりませんし、顧客ターゲットもマッチしているためシナジー効果がありそうな組み合わせですね。

デメリットとしては、資本を出すだけではなく、一緒に経営していくための人材もとられるという部分です。

資本を出して人材も出すなら、自社だけでも展開できる可能性はあり、さらに自社だけで展開したほうが利益率は当然高いです。

その自社だけの利益率とジョイントベンチャーでのシナジー効果をきちんと比較しないと会社にとってマイナスになることもあります。

また、お互いに資本を出すのですが、相手方の資本が多い場合、相手方が会社をコントロールする力が強くなりますので経営で摩擦が起きる可能性もあります。

資本のバランスについても注意しておきましょう。

黒字社長のルール34

アライアンスを結ぶ際に利益を上げやすいパターン「ライセンス」「IP活用」「リスト共有」「ジョイントベンチャー」。それぞれのメリットをよく理解して最適解を探せ。

アライアンスとM&Aの関係性とは？

アライアンスも企業同士で連携することを指しますし、M&Aも企業同士の結婚というイメージがありますが、結論からいうと、**大きな違いは「経営権が移るかどうか」の違い**です。

アライアンスは、企業同士が対等な立場で協力して目標を達成することを目的としていますが、M&Aは買い手側と売り手側に分かれ、買い手側が経営権を持ち売り手側は買い手側に吸収されてしまいます。

アライアンスは広義の意味ではM&Aも含まれているのですが、厳密にいえば全く違うものなのです。

アライアンスとM&Aのどちらを選択するか迷う場合はそれぞれのメリットとデメリットを確認するとよいでしょう。

図14　アライアンスとM＆Aの違い

	アライアンス	M&A
経営権の移転有無	無し	有り
目的	事業の提携による利益獲得	買い手：シナジーの創出など 売り手：売却益獲得、事業承継など
メリット	リスクを最小限にできるなど	シナジーを創出しやすいなど
デメリット	お互いのコミットが弱くなる可能性があるなど	投資金額が大きくなる可能性があるなど
スキーム（手法）	業務提携や第三者割当増資、合弁企業の設立など	株式譲渡や事業譲渡、合併、会社分割など

メリットとデメリット

まずアライアンスのメリットは、お互いに対等な立場で進めていきますから、お互いの独立性が維持できる点があげられます。また、**お互いのリソースを使うため1社単独で進めるよりも失敗した際のリスクが低い**のもメリットかと思います。

デメリットとしては、お互い対等なだけに、自社の思い通りにすべてを決定できない点や自社のノウハウや技術が盗まれる可能性がある点があげられます。

M&Aのメリットは、買い手側が経営権を持つことができるため自由に進められる点や、相手方のノウハウや技術を承継でき、さらに流出するリスクがない点があげられます。また、スタートアップ先進国では盛んなのですが「アクハイア」できる点もメリットです。

アクハイアとは造語で、英語の買収と雇用を掛け合わせた単語なのですが、要は買収による人材獲得を意味します。アメリカのスタートアップのエグジットの9割はM&Aなのですが、そのうちのかなりがアクハイアが目的といわれています。

日本でも優秀なエンジニアや開発チームを獲得するためにM&Aをする事例も増えてい

ますし、最近では人手不足の建設業や運送業でもアクハイアを目的としたM&Aが進められています。

M&Aのデメリットとしては、アライアンスよりもデューデリなどの手続きに時間がかかる点や、売り手側を購入するためにかなりの金額がかかるという点があげられます。かなりの金額をかけてM&Aをしたのに、たいした成果も上げられなければ会社が傾きかねないためM&Aをするなら慎重に準備をする必要があります。

アライアンスとM&Aはどちらも企業同士のノウハウや技術を共有して進めていく点では同じですが、中小企業にとってはアライアンスを検討するのが現実的なのかと思います。

黒字社長のルール35

M&A。甘美な響きだが、目先の金銭や楽さに目を奪われないことも肝要。時には手堅く経営を進めるの一つの手。

第6章

「継続して黒字化する」ために注意すること

第1章～5章までで黒字化し増収増益するための考え方や戦略について解説してきました。

この戦略を愚直に実施していただければ、会社の黒字化はもちろんのこと、売上もかなり成長するのは僕の今までの経験からも断言できます。

この章では、黒字化した会社が再度赤字に転落せずに順調に発展し続けるための戦略を解説していきます。

キャッシュフローとコスト管理の徹底が最重要

黒字化していた会社が突然赤字に転落してしまうということも経営では起こりえます。なぜ赤字になってしまうかには様々なケースがありますが、多くの場合は**キャッシュフローとコスト管理が原因**です。

キャッシュフローの話では、ビジネスの根本的構造が問題の場合もあり、その構造を修正しないと黒字倒産になってしまうこともあります。

コスト管理に関しては売上数億円くらいまで成長した会社によく起こる問題でもあるので、このあたりの原因を確認しどう解決していくかを理解しておきましょう。

キャッシュフロー

皆さんのビジネスの売上構造はどうなっていますか。

例えば飲食店であれば商品を作るための材料を仕入れて商品を完成させてお客様に提供してお金を受け取ります。製造業だと材料を仕入れて商品を完成させて納品し、そしてお客様から2カ月後に入金されるという構造が多いでしょう。保険を使う病院や整体などの事業ですと、診察をしてお客様からお金を3割もらい、レセプトを提出して数カ月後に国から7割が支払われる形となっています。

このような売上構造になっている業種は黒字倒産となる可能性があります。

なぜかと言えばキャッシュフローが悪いからです。

キャッシュフローが悪い会社の多くは後払いを採用している会社です。

後払いですと、仕入れや人件費など先にお金を使っている額が大きい会社ほど現金がどんどん出ていきますからキャッシュフローが厳しくなります。

後払い、つまり売掛金は貯まるのですが手元の現金がなくなってしまいます。

売掛金がきちんと入金されれば良いのですが、取引先の運営がうまくいかないと売掛金を回収できないこともあります。これが続くと売掛金があるため会計上は黒字なのですが実際は現金がないため、取引先に巻き込まれた連鎖倒産となってしまうことがあるのです。

倒産とはいかないまでも、売掛金の回収がスムーズにいかずに資金繰りが厳しくなりファクタリングなど金利が高いところを頼ると赤字に転落してしまうこともあります。

会社を黒字化して安定させるには前払いシステムを採用するのが一番の解決策です。

前払いであれば、先にお金が入金され、そのお金の中で運営していけばよいのでお金のコントロールをすることが可能です。

例えば、学習塾や資格学校などは授業を提供する前に授業料を先にもらいます。

特に資格学校は1年間の授業料を先にもらうのが一般的です。その集まった授業料で1年間の経営計画を立てればよいので、非常に安定した運営をすることができます。

実は国もこの前払いの方針を採用しています。

黒字化している会社の方は気づいているかと思いますが、この国は利益を出して納税している会社には予定納税というシステムが採用されています。

まだ売上も確定していないのに、前期の利益から算出し予定納税分を先に払えと請求されるのです。

郵便局の切手も同じですよね。まだ出していないのに先に購入する必要があります。

あげればきりがありませんが前払いを採用している会社ほど、黒字化でき安定した経営をしているのです。

「そうはいってもうちの業界は後払いが一般的だし……」と嘆かれている方も多いと思います。

その場合でもいかに前払いにシフトするかを諦めずに考えてみましょう。

僕がよく話す例でパン店の例があります。パン店はパンを作る機械が高価でなかなか店舗展開が難しい業種です。売上構造も仕入れて作って販売して入金される形ですので、なかなかお金が貯まりません。

しかし、この構造を前払いに変えれば一気にキャッシュフローをよくすることができます。前払いにするには「回数券」を導入すればよいのです。

僕の知り合いのパン店は食パンが有名で食パンが毎日かなりの数が売れていました。そのお店に回数券を導入させたところ、回数券が飛ぶように売れ、お金が貯まり出しました。今では6店舗を展開するまでに成長できたのはやはり前払いでキャッシュフローがよくなったのが要因なのです。

ご自身の業界でも前払いシステムの導入を一度検討してみてください。

赤字に転落してしまう要因の一つに社長が会社のコストを理解していないということがあります。

コスト管理

売上が上がり、会社の雰囲気が良くなると、ついつい気を緩めてしまう社長は多いです。僕の顧問先だった会社の社長もその一人でした。元々彼は自分も現場に参加する技術者だったのですが、どんどん会社が成長するにつれてマネジメント側に移行していきました。マネジメントも役員が育ち、ある程度任せられるようになると自分の自由な時間がとれるようになります。

そこで経営者に誘われて飲みにいくようになってしまいました。経営者との情報交換が重要なのは間違いないのですが、無駄な経費を使ってしまうのは本末転倒です。

月に100万〜200万円を飲み代に使ってしまう経営者はだいたい売上数億円くらいに成長した方が多いイメージですが、年間1200万〜2400万円の純利益を残すための構造や実際の会社のコストを理解していない方がほとんどなので、会社がこれ以上成長せず少し事業が苦戦し出すとすぐに赤字に転落してしまうのです。

さらに売上数億円くらいの会社だと、社宅として社長の住まいを経費で落とすことがありますが、その経費が月50万円を超えるくらいだと黄色信号が点滅するイメージですね。**未来の売上をコントロールすることは難しいですが、未来のコストをコントロールすることは可能**です。

人件費や家賃、広告費や運営管理費、そして社会保険や税金など前もってかかる費用をしっかり頭に入れておくのも社長の仕事です。

そのコストをしっかり管理し、剰余金で会社への投資や自分の成長への投資をすることが健全な経営なのでそのことを忘れないようにしましょう。

黒字社長のルール㊱

「黒字倒産」を避けるために重要なのはキャッシュフローの安定。できる限り「前払い」をしてもらえるスキームを作り出そう。

「ストック収入」で売上を安定させる

黒字化を継続するためには、収入を安定させる必要があります。スポットでの収入だけのビジネスでは、取引先からの仕事がいつくるかわからないため、常に赤字になるリスクを抱えることになります。

例えば不動産売買仲介などはその典型です。不動産仲介は家やビルを売りたい人と買いたい人を結びつけてその手数料が収入源となっています。

手数料は取引形態にもよりますが、3〜6%が通常で、例えば10億円のビルを仲介したら最大6000万円が手数料として入ってきます。

仕入れはなく人件費と広告費が主な経費なのでコストはわかりやすい仕組みになっています。しかし、このビジネス形態は、そもそも扱える不動産が見つからなければ手数料は一切入ってきません。

不動産自体は不動産免許があれば誰でも取り扱えますから、良い不動産は不動産会社で取り合いとなります。

たまたまいくつか不動産仲介ができて売上が成長したとしても、それがいつまで続くのかはわからないため常に不安を抱えながら仕事をすることになるのです。

このような不安定なビジネスにならないように、**毎月決まった収入、つまりストック収入が入るように設計することが継続した黒字化に必要となります。**

例えば不動産業の場合では、売買だけではなく不動産管理を取り入れている会社は比較的安定しています。

不動産管理とは、賃貸物件のオーナーと契約し、オーナーの代わりに賃貸経営にまつわる業務をすべて委託して管理する仕事です。

管理費として毎月の家賃収入の5％程度をもらう契約となっていて、契約数が多いほど毎月のストック収入が多くなります。

僕の友人は不動産売買で数億円の売上をつくっていましたが、スポット収入で毎日売上に追われるのに嫌気がさし、不動産管理に全面的に転換して成功をおさめています。

最近会社を売却したのですが、やはりストックで収入がある会社は評価が高いので通常より高く売却ができました。

このように、**ビジネスを安定させるにはストック収入をつくるのが非常に重要**です。さらに売上を最大化するには、スポット収入とストック収入を掛け合わせるのがポイントです。

僕が関わっている飲食店は、会員制の飲食店で会員は経営者しか入会できません。

その飲食店は、毎月交流会を開催し様々な経営者の方をお繋ぎしています。集まる経営者は上場企業の代表や役員、ファンドの代表や銀行の役員からベンチャー企業の社長やテレビ局やメディア関係者など様々な方が参加し、そこで仕事や投資のきっかけがうまれるのが特徴となっています。運営はストックを採用しており、月会費として5万円がかかりますが、経費で落とす経営者は気にならない金額で、かつ仕事にも繋がる情報や人脈ができるため入会者がどんどん増えています。

飲食店としてはストック収入はめずらしいですが、すでに10年運営されているのもあり、安定した成長をしています。

また、この飲食店はストックだけではなくスポットでも利益を出しています。この飲食店の運営会社はM&A会社でもあり、このお店の会員のM&Aアドバイザーも兼ねている

図15　スポット収入とストック収入

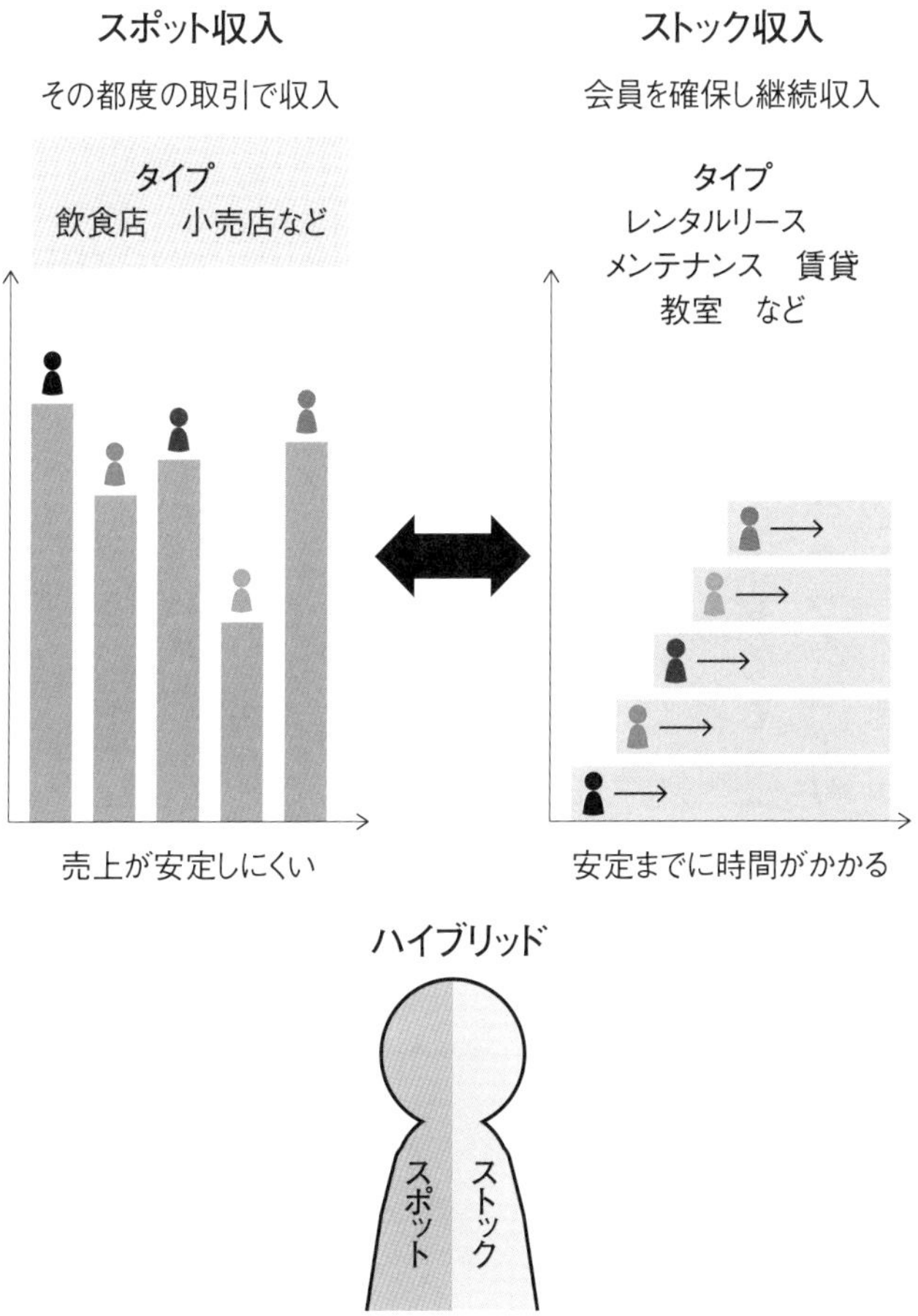

のです。上場企業はM&Aの売り手側を探していることが多く、このお店の会員も買い手側の方が多いです。

そこで、買い手側のアドバイザーとして契約をし、リクエストのあった売り手候補をお繫ぎしてM&Aを成立させる仕事もしています。

売り手側が会員にいればどこよりもスピーディーにM&Aを成立させることができ、スポットで手数料も入ってくるという仕組みです。

会社を安定させ利益を最大化するには、ストック収入とスポット収入のどちらも設計することが重要です。

黒字社長のルール 37

キャッシュフローを安定させるもう一つの手が「ストック収入」の確保。目先の大きなキャッシュよりも「毎月一定のキャッシュが入ってくる仕組み」を自社に構築できないか考え抜く。

顧客満足度を上げてファンをつくるには？

お客様が会社や自分のファンになってくれれば売上は安定します。

逆にお客様に好かれていないビジネスは他に良い商品やサービスができた瞬間に乗り換えられてしまい売上が減少してしまう恐れがあります。

お客様にファンになってもらうためにも、きちんと会社や自分について発信していく施策をしていきましょう。

ファンになってもらうには顧客満足度を上げる必要があります。

顧客満足度を上げるためには、お客様と何回も接触し、距離を縮めていくのが一番です。

そのための手法としてＳＮＳ運用があります。

Instagram やＸを毎日投稿して、自分の考えや今どんなことをしているのかをタイムリーに知ってもらうことで、会社や自分を身近に感じてもらえます。

身近に感じてもらえばもらうほど、親近感がうまれ、ファン化しやすくなります。

ＳＮＳの使い方ですが、自社のターゲットを考えて使い分けるほうが効率的です。例えばInstagramであればライト層のターゲットにはまりやすいです。

特に女性をターゲットにしている化粧品やアパレルやエステなどの美容系との相性がよいです。

逆に英会話や学習塾などの勉強関係はあまり適していません。

顧問先でInstagramの２万フォロワーまで集めたのに売上が上がらないという相談がありましたが、それはその会社のサービスがInstagramの顧客層とマッチしていないからです。

このように**ＳＮＳはそれぞれターゲット層が分かれています。**

Facebookは特定の人たちと繋がるには良いツールでして、特定の分野のコアなファンのコミュニティをつくるのには最適です。

ある意味「村文化」をつくることができます。

２０２２年くらいから話題のTikTokは、最初こそ中高生をターゲットとしていましたが今は30代〜40代をターゲットにした広告も流れており、認知度を上げるにはかなり有効なツールになりました。

その証拠になかなか求人が集まらず苦労している会社が TikTok で求人募集をした結果、有名求人媒体以上に人が集まったというデータも出てきました。

Xは一般層も経営者層も見ているツールなので、これはどの業界でもやるべきSNSかと思います。

また穴場として認知度はそこそこあるけどそんなに流行っていないSNSとして LinkedIn があります。

LinkedIn は経営者やビジネスパーソン同士をつなぐSNSなのですが、まだ使用している方はそこまで多くありません。

これは逆にチャンスでもあり、経営者をターゲットにしている方はレッドオーシャンになる前に LinkedIn を攻略しておけば、いざ人気が出たときに一人勝ちできるかもしれません。

SNSと同様に、本を出版することも同じ効果を狙うことができます。

本の内容はもちろん著者が考えていることが書かれていますし、体験談など実生活に近い話も書かれていることもあります。

ＳＮＳと同じように著者の考え方に共感したり、影響を受けた読者がファンになったりすることもよくあります。

本は一冊でも出版しておけば、経営者に必要な信頼を得ることもできます。

名刺を渡すよりも本を渡したほうが、「きちんとしている方」と判断されやすいです。

本を出版することで講演会に呼ばれるなど、ラジオのパーソナリティーになった方もいましたので経営者なら挑戦してほしいです。

顧客満足度を上げてファンになってもらうのに一番優れたツールは動画です。

ＳＮＳや本は活字になりますが、やはり動画の影響力のほうが強いです。

その意味でも売上を安定させたい経営者は、YouTube で配信することをおすすめします。

仲良くしていただいている税理士の先生は YouTube を始めて１年で数億円の売上をつくり多くのファンをつくられていますし、僕のクライアントの不動産事業の方は YouTube を始めて２年で YouTube 経由のお客様が１００人を突破し、かなりの売上に成長しています。

僕もＭ＆Ａ関係の YouTube によく出演していますが、登録者２０００人くらいのチャンネルですが、そこからの相談はかなりの数がきます。

このように動画はかなりの影響力がありますので、時間をつくって今すぐ実施したほうがよいです。

ちなみに、**最初は全くYouTubeの登録者数は伸びないので気にしなくていい**です。

動画は週2~3回のペースでまずは3カ月くらい投稿してみましょう。投稿して気長に待てば必ず仕事が増えると思います。

登録者数300人くらいになると問い合わせがくるイメージなので、まずはそこまでやりきりましょう。

黒字社長のルール 38

キャッシュフローの安定に貢献してくれる「ファン」の存在。必殺の一撃はなく、日々の積み重ねが「太いファン」をつくってくれる。

新規顧客発掘と既存顧客フォローの最適なバランス

黒字化を維持していくためには、社長が顧客をどうとらえているのかが重要です。例えば飲食店など店舗系ビジネスで繁盛店といわれているお店は何をしているかご存じでしょうか？

多くの人は集客を頑張って新規顧客をつくっていると考えがちですが実際は違います。そもそも新規顧客を開拓していくには、既存顧客を維持するのに対して5〜6倍以上の時間とコストがかかるからです。これはデータでも証明されており、マーケティングの世界では「1対5の法則」と呼ばれています。

また似た法則で「5対25の法則」というものもあり、これは5％の既存顧客の離脱を防ぐことによって利益率が25％改善することができるという法則です。

このように**繁盛店は、新規集客も当然実施しますが、それ以上に既存顧客の維持に注力しているのです。**

図16　1:5の法則と5:25の法則

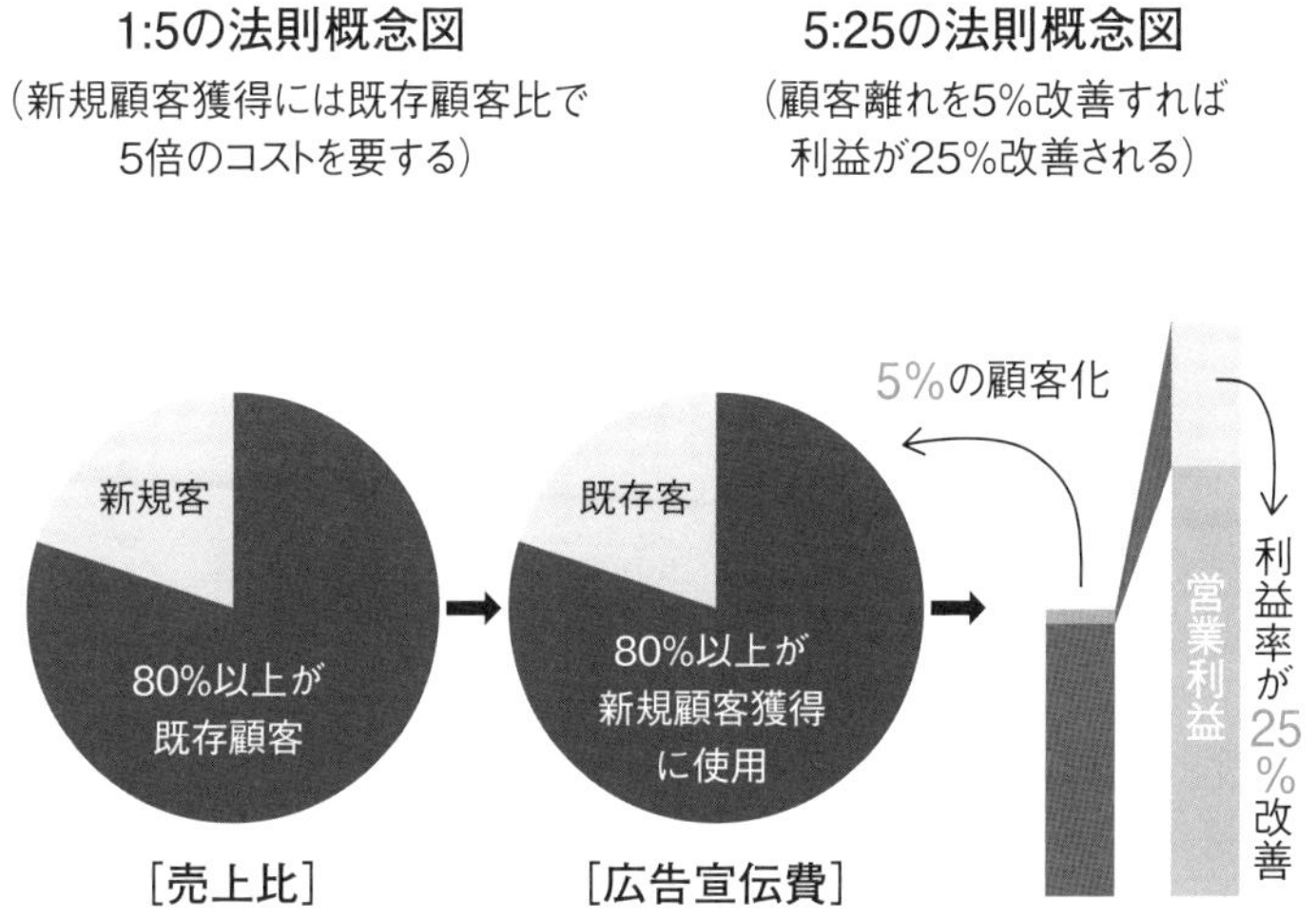

「1:5の法則」（新規顧客獲得には既存顧客比で5倍のコストを要する）や「5:25の法則」（顧客離れを5%改善すれば利益が25%改善される）からもわかる通り「新規顧客獲得」よりも「客離れ防止」に注力すべきです

これはどんな業種でも変わらずやるべき施策です。

維持の方法として重要なのは、顧客ごとのカスタマイズしたコミュニケーションをとるということです。

よくあるポイントカードやＶＩＰセールももちろん有効なのですが、顧客一人一人に合わせたサービスの提供には敵いません。

例えば、福利厚生を提案しているベンチャー企業では、顧客のニーズに合わせて様々な福利厚生を提案し、四半期ごとにデータを見ながら使われていない福利厚生をカットし新たな福利厚生に組み換えて再提案しています。

企業への配達弁当で有名な会社も会社ごとに弁当の余りをデータ化し、人気がなく余りが多いおかずはその企業の弁当に入れないようにシステム化しています。

他にもパーソナルトレーニングジムを運営している会社では、単純に体重や食事管理などのデータから指導するだけではなく、特殊な器具を使い、顧客の血糖値のデータまで管理して、どの食事が血糖値を上げやすいのかを個人個人分析して指導しているところもあります。

このような個人個人を大事にした戦略が既存顧客維持には効果的です。

安定したビジネスを考えるときに新規顧客と既存顧客の割合は、「2対8」か「3対7」の割合が望ましいとされています。

新規集客だけではなく既存顧客にさらにどう満足してもらうのかを徹底的に考えて実施することが黒字化を維持するポイントといえるでしょう。

黒字社長のルール39

ファンづくりは恋愛と一緒。また「会いたい（使いたい、来たい）」と思ってもらえるような戦略をしっかりと用意しているか？

黒字化と「税金」の関係性

会社が順調に成長して黒字化し利益が出始めると、決算時に税金の話が必ず出てきます。日本でビジネスをする以上、日本という国に税金を支払うのは当然なのですが、どの程度税金対策をすればよいのでしょうか？

税金に関しては何も考えていない経営者も少なくありません。無計画は失敗を計画していることと一緒ですから、税金についてもきちんとした計画を立てる必要があります。

黒字化している会社がどのように対応をしているのかをしっかり確認していきましょう。

役員報酬と内部留保の考え方

まず会社にお金を残すのか経営者の個人資産を増やすのかで対応が異なります。

個人資産を増やすのであれば役員報酬を高く設定すればよいですし、会社に内部留保として残すなら役員報酬を低く設定し会社の利益を多く計上するだけです。

よく税金で考えるなら役員報酬を900万にするのが良いという話を聞きますが、それは間違いです。

正しくは**「個人の所得を900万にする」のが正解**です。

なぜそうなるかというと、役員報酬は900万を超えると税金が33%から43%に上がります。

この情報だけ見れば役員報酬を900万までにしたほうが良さそうですが、実際はそうではありません。

税金が43%になるのは900万を超えた金額にかかりますので、900万にかかるわけではないからです。

さらに税金は所得にかかるので役員報酬といった給与にかかるわけではありません。

日本では給与から様々な控除ができます。

給与所得控除、厚生年金、社会保険、基礎控除も給与から引くことができます。

控除して残った額が所得となります。

図17　報酬にかかる税率

課税される所得金額	所得税率	住民税率
195万円以下	5%	10%
195万円以上330万円未満	10%	
330万円以上695万円未満	20%	
695万円以上900万円未満	23%	
900万円以上1,800万円未満	33%	
1,800万円以上4,000万円未満	40%	
4,000万円以上	45%	

その所得が900万くらいになるには役員報酬で1280万円くらいの金額になります。

次に法人税ですが、会社の形態や所得の規模によって税率が異なるので計算が複雑になるのですが、本書は専門書ではありませんので詳しくは他の本に譲るとして、非常にざっくりとした計算で企業の所得（利益）にかかる税率は、おおよそ33％ほどとなります（「実効税率」といい、毎年変わる可能性があります）。

では、本題の内部留保か個人資産かですが、いったいどちらがよいのでしょうか？

結論からいえば**会社を安定させるなら内部留保がよい**です。

例えば、利益が3000万円出そうな会社なら、役員報酬は1300万円ぐらいにして1700万円を内部留保します。

法人税は430万くらいになりますが、内部留保として1300万円近く残ります。

会社にお金が残るといざというときに投資ができるなど、会社の危機を免れることも可能です。

また赤字になりそうなときの対策として資金があればいろいろな施策を考えられます。

その意味でも内部留保は充実させておいたほうがよいと思います。

デメリットとして、会社に資産が貯まるとその分会社の価値が上がります。

自分の子どもに引き継がせる予定の方は、子どもにそれなりの贈与税がかかってしまうのがデメリットではあります。

ただ、引き継がせずに売却する場合は、会社の価値が上がるのはメリットとなり、高値での売却が可能になります。

どうしても子どもに引き継がせたい方は、自分の退職金として1億円くらいは経費で落とすことも現状は可能なので、そのような株価対策をしていくこともできます。

税金の繰り延べ

会社に利益が出そうだが、経営上の税金対策がまだ決まっていないという社長もいます。

その場合は何もしないと利益からまるまる法人税をとられるだけなので、時間を稼ぐ意味でも税金を繰り延べることも考えてみましょう。

税理士の中には税金を今期繰り延べても来期に支払うのだから今期に支払っても同じだという方がいます。

この考えは来期も同じように利益が出ているならそうなのですが、来期に広告費などで勝負をかけて再来期に向けた経営のために赤字を見込んでいるなら今期に繰り延べした利益を来期に充てることができ節税することができます。

このように**きちんとした事業計画があるならば税金の繰り延べは有効に使うことができます。**

繰り延べの方法は詳しい税理士に任せますが、年々いろいろなスキームが出ては税務署につぶされる、いたちごっこの世界でもあります。

会社が黒字化し利益が出る状況になったら、どのように動くかをしっかりと考えておきましょう。

黒字社長のルール 40

せっかく苦労してできた「黒字」を無駄にしないため、税金対策は必須。自社のステージに合った施策を見つけ出せ。

黒字化と「社長の健康」の関係性

黒字化して増収増益を達成している会社が傾いてしまうことがあります。

それはどんなときなのかわかりますか？

それは社長が会社からいなくなってしまったときです。

社長がいなくなる原因は二つあります。

一つは後継者に会社の引き継ぎをした場合です。

M&Aで会社を売却した場合も同様です。社長が変わることで経営方針も変わってしまい、それでさらに成長すればよいのですが失速してしまうこともあります。

僕が売却した会社もより成長した会社もありますし失速してしまった会社もあり、これは大手企業に売却しようがファンドに売却しようが変わらないと経験的には思っています。

もう一つの原因が社長の健康面です。

社長の健康状態が悪く、社長が会社に出社できなくなることは高齢の社長が多い日本ではよくあります。

社長がいなくても会社が回る仕組みをしっかり構築していればよいのですが、まさにちょうど黒字化しここから成長しようという段階で社長が倒れてしまったら目も当てられません。

そうならないように、自分の健康は自分で意識して維持していくようにしましょう。

長寿を支える秘訣

成功している著名な経営者や、日本の政治家は長生きな方が多いと感じたことはありませんか？

彼らの中には亡くなってしまうと日本にとっても大きな損失になる方もいらっしゃるので、大病院に大金をかけて優遇してもらっていると思っている方もいるかもしれません。

確かに、病院の中には入院する際に個室を選べる病院があり、その中でも特別室という一泊数十万円以上かかる部屋もあり、そのような部屋に入院される方もいますが、それで早死を避けているわけではありません。

長生きの秘訣は、実はほとんどの方が実践することができます。

それは、**病気の早期発見を徹底すること**です。

よく1年に1回健康診断を受けているから大丈夫だという方がいますが、これは危険な考えです。

1年に1回では、その時点では健康でも3カ月後にはガンができているかもしれません。進行の速いガンですと、次の健康診断が9カ月後であるならすでに手遅れになることもあるのです。

特定業務従事者は年2回の健康診断を必要としていますが、最低でも社長であるなら年に2回は健康診断を受けるべきだと思います。

ちなみに健康を重視している社長は毎月血液検査をして自分の健康を確認しています。

血液検査だけでもいろいろなことがわかります。

例えば、肝臓機能ですがALTの数値のほうがASTの数値よりも高いと脂肪肝になっています。

アルコールを飲む方なら、アルコールに気をつけないと脂肪肝炎は完治しませんし、逆にアルコールを飲まない人だと非アルコール性脂肪肝炎とわかるため、早急に治療が必要です。

あげればきりがありませんが、血液検査だけでも日常生活で気をつけるべきことの多くがわかりますので、社長ならば健康にも経営と同じくらい意識を向ける必要があると思います。

黒字社長のルール 41

会社を黒字継続させるための最後の障害は「社長の健康」問題。経営と同じく健康にも十分留意せよ。

おわりに

本書を手にとっていただきありがとうございます。
また最後までじっくりとお読みいただけたならば、なお嬉しいです。
重ねて感謝いたします。

本書は、僕や僕のクライアントの経験を含め、会社を成長させどのように黒字化し、それを維持していくのかについて読者が実践できるようにコンパクトにまとめて書いています。

様々な戦略や情報を活用して今のビジネスに取り入れることで、ビジネスの成長にお役に立てたら大変嬉しいです。

「私は未来のことを考えない。あっという間にやってくるからだ」

僕の好きな言葉の一つですが、この言葉は相対性理論で有名なアルバート・アインシュタインが語った言葉です。

毎日様々な情報から学びアウトプットしてきた彼だからこその言葉だと思います。

人間は生きている限り常に学ぶ必要があります。

「学ばなければ死んでいるのも同然だ」という格言もありますが、変化が速いこの時代に学ばずに現状維持を考えている人は時代に取り残されてしまうでしょう。

経営者であればより学ぶ必要があり、学んで実践するからこそ黒字化を維持できるのだと思います。


本書があなたの人生に少しでも役立つことを祈っています。


最後に、僕がこの本を執筆するに当たって、多くの対話に協力していただいた友人や僕のブレーンの方々に感謝します。

本書に推薦コメントを寄せてくださった、元プロ野球選手で現野球解説者の掛布雅之さんにもこの場をお借りして御礼申し上げます。

掛布さんとはご縁があり、２０２４年４月から「掛布雅之と経営太郎のビジネススラッガー」というYouTubeチャンネルでご一緒させていただくことにもなりました。プロ野球選手を引退後、社長になった異色のご経歴をお持ちの掛布さんと様々なビジネスに関する話をしていきますので、ご興味をお持ちいただけた方はぜひ、こちらのチャンネルもご覧ください。

「掛布雅之と経営太郎のビジネススラッガー」
https://www.youtube.com/@businessslugger

また、この本を出版する機会を与えてくださった皆様にも、この場をお借りしてお礼を申し上げます。

本当にありがとうございました。

令和6年4月

経営太郎

読者の皆様へ

著者が監修する「経営太郎公式ページ」では、本書を読まれた方がさらに経営者として飛躍的に成長できるコンテンツがあります。ご興味があれば、ぜひ下記URLまたは次のページのQRコードから「経営太郎公式ページ」もご覧ください。

URL：https://keieitaro.com/

●本書をご購入された方に限定特別プレゼント

「経営太郎があなたのメンターとして、一度だけ無料でご相談にお答えします」

今回、本書を購入してくださった皆様に、特別に経営太郎がお悩みにお答えします。オンラインで30分の面談となりますが、経営太郎のコンサルティングフィーを考えるとかなりの価値があるプレゼントになっております。

ちなみに経営太郎と以前面談された方は、

・自分のビジネスのより高度な利益のつくり方を学び1年で売上を4000万から2億円までに成長

・面談で興味を持った経営太郎が顧問先を紹介しアライアンスを組むことに。メディアにも取り上げられ売上3倍に

・投資家から資金調達をする戦略がわかり、1億7000万円の調達に成功

・バイアウトでの売値をどう伸ばすかの悩みが解決し、最終的に当初より1億円高く売却に成功

など様々な実績が出ています。

１対１で経営や今後の相談を話していただければ、経営太郎がその場で解決に導いていきます。

経営者の方はもちろん、これから事業を始めようとしている方にもおすすめです。質問は何でも構いませんので、お気軽にご利用ください。

※詳しくは「経営太郎アプリ」をダウンロードしていただいた上で、アプリ内の「読者プレゼント」のページをご覧ください。

経営太郎公式ページのご案内
経営太郎に
相談したい
テレビCM
を放映したい
プレスリリース
を出したい
エンジェル投資
を学びたい
まずは
経営太郎公式ページを
ご覧ください

本書内容に関するお問い合わせについて

このたびは翔泳社の書籍をお買い上げいただき、誠にありがとうございます。弊社では、読者の皆様からのお問い合わせに適切に対応させていただくため、以下のガイドラインへのご協力をお願い致しております。下記項目をお読みいただき、手順に従ってお問い合わせください。

●ご質問される前に

弊社Webサイトの「正誤表」をご参照ください。これまでに判明した正誤や追加情報を掲載しています。

正誤表　https://www.shoeisha.co.jp/book/errata/

●ご質問方法

弊社Webサイトの「書籍に関するお問い合わせ」をご利用ください。

書籍に関するお問い合わせ　https://www.shoeisha.co.jp/book/qa/

インターネットをご利用でない場合は、FAXまたは郵便にて、下記“翔泳社 愛読者サービスセンター”までお問い合わせください。

電話でのご質問は、お受けしておりません。

●回答について

回答は、ご質問いただいた手段によってご返事申し上げます。ご質問の内容によっては、回答に数日ないしはそれ以上の期間を要する場合があります。

●ご質問に際してのご注意

本書の対象を超えるもの、記述個所を特定されないもの、また読者固有の環境に起因するご質問等にはお答えできませんので、予めご了承ください。

●郵便物送付先およびFAX番号

送付先住所　〒160-0006　東京都新宿区舟町5
FAX番号　03-5362-3818
宛先　（株）翔泳社 愛読者サービスセンター

【著者紹介】
経営太郎（けいえい・たろう）
大学在学中に起業し、IT、PR、飲食、美容系のビジネスに従事しながら、数社の会社のエグジット（EXIT）を経験。売却額は累計数十億円の実績を持つ。またファンド運営にも参画し、ベンチャー企業へ出資したり、自らコンサルタントや顧問として出資先に従事、出資先の売上アップや会社のバリュエーションアップにも貢献している。実は金融庁に登録されていたり、内閣府の認定も受けている、「日本一稼ぐパンダ科」でもある。
著書に『7回起業して死ぬネズミさんの話』（スタンダーズ株式会社）がある。

黒字で増収増益するための社長のルール
現役「経営者」「投資家」「コンサルタント」の3つの視点で見る、儲かる会社のつくり方

2024年 5月14日　初版第1刷発行

著者　経営 太郎
発行人　佐々木 幹夫
発行所　株式会社 翔泳社（https://www.shoeisha.co.jp）
印刷・製本　株式会社 加藤文明社印刷所

本書へのお問い合わせについては、263ページに記載の内容をお読みください。

ISBN978-4-7981-8631-3　　Printed in Japan